유럽여행 에세이 두 번째

남국의 햇살은 오렌지향을 품고
: 마드리드에서 포르투까지

남국의 햇살은 오렌지향을 품고 : 마드리드에서 포르투까지
유럽여행 에세이 두 번째

발　행 | 2024년 7월 5일
저　자 | 윤대협
펴낸이 | 한건희
펴낸곳 | 주식회사 부크크
출판사등록 | 2014.07.15.(제2014-16호)
주　소 | 서울특별시 금천구 가산디지털1로 119 SK트윈타워 A동 305호
전　화 | 1670-8316
이메일 | info@bookk.co.kr

ISBN | 979-11-410-9330-3

www.bookk.co.kr

유럽여행 에세이 두 번째

남국의 햇살은 오렌지향을 품고 : 마드리드에서 포르투까지

윤대협 지음

목차

프롤로그 7

DAY 1-2 마드리드
문을 열자, 남국이었다 9
당신의 리즈시절은 언제입니까 41

DAY 3-4 빌바오 / 사라고사
사랑하는 내 고장, 우리 사람들 58
젊은이여 광장으로 68

DAY 5-6 바르셀로나
멀어진 마음은 다시 잇기 힘든데 78
위대한 나의 비참한 죽음을 알려라 89

DAY 7-9 코르도바 / 세비야
남국의 남녀의 미친 사람들 105
나 죽거든 절대 여기 묻지 마라 113
젊어 고생을 사지는 말자 125

DAY 10-12 리스본 / 포르투
꿈돌이야, 잘 지내니 133
이성은 종교를 대체했을까 150
잊히지 않을 광경 163

에필로그 173

프롤로그

이 책은 10박 11일간 스페인과 포르투갈을 여행하면서 남긴 기록이다. 스페인 마드리드, 빌바오, 사라고사, 바르셀로나를 거쳐, 세비야에서 야간버스를 타고 포르투갈 리스본으로 건너가, 포르투까지 가서 여행을 마친다.

세계에서 우리만큼 영욕의 세월, 질곡의 역사를 경험한 나라와 민족이 있을까마는, 여행하다 보니 세계 거의 모든 나라가 저마다의 고난과 진통, 말로 다 하지 못할 복잡한 과거를 가지고 있다는 것을 발견한다. 대항해시대의 무적함대, 신대륙 황금의 종착지라는 영광스러운 역사만 갖고 있을 것 같은 스페인에서 기독교와 이슬람교라는 완전히 다른 성향의 두 종교가 번갈아 가며 지배하는 과정에서 생활양식과 각종 문화가 복잡다단하게 얽히고설키며 중첩된 흔적도 발견할 수 있었고, 합스부르크계와 부르봉계 간의 왕권 다툼으로 인한 카탈루냐 지방의 고난, 내전과 군부독재 등 우리의 역사와 비슷한 면모도 발견할 수 있었다. 우리나라만 힘들고 어려운 역사를 이겨내고 위대한 승리를 거둔 줄 알았는데, 여행을 통해 세계 모든 나라가 다들 각자의 위기에서 각자의 방식으로 견뎌냈다는 것을 배우게 되었다. 어릴 때는 그저 내가 세상의 중심이고 나같이 다사다난한 인생을 살고 있는 이가 또 없다고 생각했던 내가, 나이 들면서 다른 사람들도 각자 복잡한 삶을 살고 있고 각자의 드라마를 쓰고 있다는 것을 깨닫는 것과 마찬가지이다. 타인의 이야기가 재미있어지는 과정이다.

한편 지난 이탈리아, 프랑스 여행에서도 죽은 사람들로부터 많은 것을 배웠지만 이번 여행에서도 인간의 종족 특성에 대해 고민하게 되었다. 종교를 밀어내고 이성이 부상하는 역사의 전환점이 된 리스본 대지진은 우리에게 무엇을 남겼을까. 신에 대한 믿음을 탐구하고 검증하는 과학으로 교체하면서 인간은 풍요와 번영을 얻었다. 하지만 그렇다고 해서 신이 지배하던 시대에 비해 현재의 우리가 행복해졌는가는 단언하기 힘들다. 정신에 대한 과학이 발달했다고 해서 정신 자체가 개선되었다고는 말할 수 없을 것 같다. 인간의 삶은 누구에게나 예외 없이 희로애락의 법칙이 적용된다.

여행일지를 쓸 때가 2014년이라 여행 정보, 요금 등이 현재 상황과 다름을 양해해 주시기 바란다.

DAY 1 마드리드

문을 열자, 남국이었다

1시 30분 코벤트리 터미널에서 코치버스를 타고 런던 스탄스테드(Stansted) 공항으로 향했다. 새벽이라 사람들이 하나도 없을 줄 알았는데 벤치마다 이미 바글바글 만석이다. 꼭두새벽 아니, 새벽도 아니고 한밤중인데 다들 어딜 그렇게 가대시는지. 아니지, 그러고 보면 나도 정작 할 말은 없다. 정말 징글징글한 공항이다. 게이트 번호가 뜨길래 이동했더니 웬 비자 스탬프를 받아와야 한단다. 뭔지는 모르겠지만 비용은 지불하지 않아도 된다 하여 게이트 앞에 있는 부스에서 받으려고 하니, 체크인 카운터에서 받았었어야 한다고 면박을 준다. 나는 유럽국가에 무비자로 갈 수 있는 대한민국 국민인 데다가, 체크인 카운터에서 정체도 모를 비자 스탬프 같은 이야기는 일절 없었던 데다가, 거기서 받으나 여기서 받으나 그냥 해주면 좀 어떤가 분통이 터질 노릇이었지만, 초장부터 여행을 망치고 싶지는 않아 좋게좋게 헤헷 죄송, 하면서 스탬프를 받고 비행기를 탔다.

지난번 저가항공 비행경험으로부터 돈이 없으면 기내에서 감히 승무원에게 무언가를 요구하는 듯한 눈길을 보내서는 안 된다는 교훈을 뼈저리게 얻었기 때문에, 출국장에서 미리 물과 샌드위치를 사 왔다. 역시 인간은 학습의 동물이야, 되새김하며 야무지게 먹었다. 주위를 둘러보니 다들 도시락을 먹는 모습이 아주 자연스럽다. 유럽에서는 남녀노소를 불문하고 자기가 먹을 도시락을 자기가 싸다니면서, 아무 곳에서나 조심스럽게 비닐봉지를 펴고 샌드위치를 먹는 모습을 심심치 않게 볼 수 있다. 게다가 할아버지들도 얼마나 정갈하신지, 음식을 다 드시고는 꼭 손으로 책상을 한번 쓸어 빵가루를 모두 비닐봉지에 다시 넣어 쓰레기로 버리시고, 꼬깃꼬깃 접어놓았던 휴지로 다시 한번 뒷정리를 하시는 모습이 젊은이인 내가 봐도 존경스러울 정도로 꼼꼼하시다. 노인이 되었을 때의 나의 모습을 수집하고 다니는 와중에 절대 빼먹지 않을 곱고 정갈한 모습이다. 6시 30분에 이륙하여 10시 40분에 착륙했다. 시차를 고려하면 2시간여의 비행이다. 이동시간이 이렇게 짧기 때문에 영국인들 중 스페인에서 주말을 보내는 가족이 많다고 들었다. 혹은 스페인인들 중 영국에서 일하는 경우도 왕왕 있다. 우리로 치면 주중에는 서울에서, 주말에는 제주도에서 이런 느낌이려나. 역사적으로도 영국과 스페인의 왕조는 헨리 8세 시기 먼 과거에는 혈연관계였으니, 한때 치고 박고 싸운 기억이 있어도 오고 가고 왕래가 많은 것이 이상한 일은 아니다.

마드리드에 내리니 온도 차가 확연히 느껴졌다. 4월의 영국은 우기가 갈랑 말랑 머뭇머뭇한다. 하루에도 몇 번씩 해가 떴다, 비가 왔다, 난리가 아니다. 영국의 절정을 따지자면 6월부터 8월까지의, 100일의 여름이다. 찬란한 여름의 런던은 진짜 천국까지는 아니더라도 '세상 천국이다'는 말이 절로 나오게 한다. 4월의 런던은 아직, 연옥 즈음이다. 반대로 마드리드의 4월은 불지옥 직전이다. 낮 최고기온이 30도를 기록했단다. 영국에서 입고 왔던 플리스 스웨터들을 모두 벗고 얇은 린넨 셔츠로 갈아입었다. 두꺼운 바람막이는 가방에 넣을 자리가 없어 어깨에 둘렀다. 숙소 민박집 사장님께 이제 막 입국했다고 전화를 드렸더니 마드리드 프린치페피오(Principe Pio) 역에 오면 맥도널드가 있으니 와이파이를 켜고 연락 달라신다.

공항 안내소에서 마드리드 지도를 얻고, 지하철 10회권을 샀다. 프린치페피오 역에 도착해서 맥도널드에 들어가기보다 유심을 먼저 사기로 했다. '폰하우스'와 '보다폰' 가게가 있는데, 폰하우스에 먼저 들어갔다. 서어로 "선불유심 주세요(U-SIM de prepago)." 주문하고 영어로 "How much?" 물으니 "Only Spanish." 하고 말을 끊는다. 나도 말문이 막혀 옆집 보다폰에 가서 10유로짜리 유심을 사서 갈아 끼웠다. 민박집 사장님께 전화 드렸더니 마침 장 보러 나오셨다며 데리러 나와 주셨다. 기차역에서 민박집까지는 거의 30분이 넘게 걸렸다. 지도로만 봐서 이렇게 오래 걸릴 줄은 몰랐는데, 앞으로 오가려면 상당히 고전하겠는데.

숙소에 짐을 풀고 '알무데나 대성당(Catedral de la Almudena)'으로 향했다. 20분 정도 걸렸는데, 날이 더워 금방 지쳤다. 눈에 띄는 구멍가게에 들어가 하리보 젤리 한 봉지를 집었다. 우걱우걱 젤리를 씹어 당을 섭

취하고 침을 생산하면서 언덕길을 올라 성당에 도착했다. 올라온 길을 돌아보니 시내 전경이 펼쳐지며 좋은 경관이 보였다. 대성당은 독특한 형태였다. 예의 십자형 성당이 아니라 이슬람 모스크와 비슷한 정팔각형 구조였고, 가운데 본당 부분만 직사각형태였다. 성당 안에는 성인 조각상과 스테인드글라스들이 빼곡히 가득 찼다. 일부 묘비석 위에는 화병이나 꽃다발이 놓여 있었다. 중앙 돔은 여러 개의 아치가 받치는 반구 형태로 한 폭의 천장화 대신 갈라진 아치 사이마다 이국적인 느낌의 모자이크 같은 추상화로 장식되어 있었다.

이 성당은 마드리드를 총괄하는 대교구 대성당으로 비교적 최근인 1993년 교황 요한바오로 2세 때 축성되었다. 원래 1561년 펠리페 2세가 톨레도에서 마드리드로 천도하였을 때, 마드리드에는 톨레도 대성당에 비견할만한 성당이 없었다. 톨레도 대성당의 위용은 예나 지금이나 세비야 대성당 버금가므로 당연히 그보다 더 대단한 성당은 없었을 만하다. 그리하여 스페인의 중심이 되는 대성당을 지어야 하지 않겠냐는 논의가 지속되었으나, 정작 정부는 성당 신축 따위보다는 국가전략의 중점을 화끈하게 신대륙 개척, 해군력 증강과 제국 확대에 두었으므로 19세기에 이르러서야 본격적인 성당 신축이 시작된다. 나이롱 신자인 나의 관점에서 보자면 스페인 정부의 선택과 집중이 백번 천번 현명한 선택이었음은 말할 필요가 없다. 아마 스페인이 제국으로서의 권능과 군사력을 거의 다 잃고 일개 평범한 나라들과 비슷한 수준으로 수렴될 것 같은 분위기가 형성될 때, 정세 환기 차원에서 성당을 신축한 것 아닐까 생각이 된다. 성당 신축을 위한 위치로 선정된 곳은 마드리드 왕궁의 건너편, 중세시대 이슬람 모스크가 있던 자리이다. 이슬람 세력이 이베리아반도를 통치할 당시, 기독교도들이 이곳 알무데나(Almudena) 성벽에 성모상을 숨겨두었었나 본데, 이후 레콩키스타(Reconquista), 즉 스페인 국토회복 운동 당시에 그 성모상을 발견했다고 한다. 그리하여 성당의 이름도 알무데나 대성당이 되었단다. 1883년 최초 착공했을 때는 네오고딕 양식으로 공사를 시작하였으나, 1930년대 중후반 스페인 내전의 영향으로 공사가 전면 중단되었고 현장은 1950년까지 그대로 방치되었다. 이후 1950년부터 공사를 재개하면서 건너편 왕궁과의 조화를 고려하여 바로크 양식의 건물로 방향을 선회하였고, 이후 1993년 완공함으로써 유럽

수도의 대성당치고는 비교적 귀여운 역사를 보유하고 있다. 그래도 대성당 완공 이후에는 왕실 성당으로서의 역할을 다한 것이 2004년 스페인 왕실 아스투리아스 공 펠리페(현 펠리페 6세)와 레티시아 오르티스의 혼배 미사가 집전되기도 했었다.

오늘은 어느 집 아기의 세례식이 있는 듯했다. 부모와 가족 친지들로 보이는 사람들이 정중한 의상을 차려입고 와서 미사를 보고 있었다. 신부가 성수를 뿌려주고 기도를 하는 중간에 아기가 몇 번 보채긴 했지만, 무사히 잘 끝났다. 갓 태어난 새 식구의 무사안녕을 기원하기 위하여 온 가족이 모여 미사를 드리는 광경. 포근하면서도 마음이 따뜻해진다. 성당 문을 나오면서 건너편을 보니 스페인 왕궁(Palacio Real) 뒤로 구름이 뭉게뭉게 피어올라 지브리 스튜디오의 만화 같은 장면이 연출되고 있었다. 왕궁과 성당이 있는 언덕은 뒤쪽으로 가파른 언덕이라 하늘을 배경으로 멋들어진 자태를 뽐낼 수 있는 것 같다.

마요르 길로 내려와 '산미겔 시장(Mercado de San Miguel)'으로 이동하였다. 시장이지만 지붕을 얹고 유리로 벽을 둘러놓아 아케이드 혹은 마트나 다름없다.

붉게 녹슨 지붕과 기둥은 시장 건립 애초부터 있던 것들이고 2009년에 유리벽으로 리모델링 했단다. 유럽의 리모델링 건물을 보면 기존에 있던 석조건물을 그대로 둔 채 겉부분을 유리로 감싸거나 유리로 벽을 대체한 경우를 많이 볼 수 있다. 처음에는 어울리지 않고 지저분해 보여서 별로 마음에 들지 않았지만 보면 볼수록 부조화 속의 오묘한 조화가 아름답게 보이고 매력이 느껴진다. 시장 안은 사람들로 꽉 차 북적였고, 주문하는 사람들과 음식을 받아오는 사람들이 뒤엉켜 정신이 없었다. 산미겔 시장은 타파스와 하몽, 와인으로 유명하다. 2유로 내외로 살 수 있는 타파스는 손가락을 뺀 딱 손바닥만 한 접시에 브루스케타나 새우튀김 아니면 하몽으로 둘러싼 멜론 등 전통과 현대가 어우러진 음식이 한 입 거리만큼 놓여 있다. 탐스러운 음식에 저렴한 가격까지, 정신줄 놓으면 푸짐한 뷔페로 보일 광경이다. 곳곳에서 사과, 오렌지, 레몬을 담그는 등 각자의 방식으로 제조한 상그리아(Sangria)를 진열해 놓고 가게마다 독특한 향내를 선전하며 고객을 끌어들인다. 그렇지만 내 비위로는 유럽의 염장 음식들과 전통 음료에 도전할 용기가 없어 그냥 오렌지 생과일주스(2유로)

만 한 잔 마셨다. 과일만으로 즙을 내서 단맛이 전혀 없고 새콤 텁텁한 맛이었지만, 다 마시고 나니 신기하게도 입안이 개운해졌다. 오호. 이탈리아는 커피의 나라이고, 스페인은 오렌지주스의 나라구먼.

길을 따라 계속 올라가서 '마요르 광장(Plaza Mayor)'에 도착했다. 광장이라는 이름이 너무도 정직하게 잘 들어맞는 곳이다. 사면을 둘러싼 5층짜리 건물들은 한 치의 오차 없이 모두 똑같이 붉은 벽에 흰 창틀이다. 줄을 지어 이어지는 꼭 같은 형태의 모양이 마음을 편안하게 한다. 원래 이 장소는 먼 과거 마드리드 주민들이 나와서 물건을 사고팔던 시장이었다. 16세기 마드리드로 천도하면서 마드리드 왕궁에 입주한 펠리페 2세가 광장을 조성했다. 광장의 중심이 되는 두 개의 탑이 있는 건물 '카사 데 라 파나데리아(Casa de la Panaderia)'가 그때 설립되었다. 17세기 제작된 펠리페 3세의 청동 기마상은 19세기에 광장 중앙으로 이전되어 왔다. 오늘날 회랑으로 된 1층에는 각종 상점들이 들어서 관광객과 주민들이 들락날락거리고, 그 위는 가정집인지 호텔인지 사람들이 발코니에 나와 광장을 구경한다. 재미있는 상황을 연출하는 거리 예술가들, 세계 각국에서 도착한 여행자들, 캐리

커처나 특이한 풍경화를 그려 팔고 있는 화가들, 혹시라도 빵 부스러기가 없나 두리번거리는 비둘기들이 뒤엉켜 북적인다. 거대한 비눗방울을 부는 공연가 주위로는 어린이들이 깔깔 웃으며 뛰어다닌다. 활기와 재미가 넘친다. 상상으로 꿈꿔봤던 행복한 나라의 국민들이다. 먼 옛날 중세시대에는 마녀재판이 열리고 각종 결투, 투우경기 등이 열려 피와 뼈가 난무하는 공포의 마당이었겠지만, 피로 적셨던 땅은 이제 깨끗하고 그 위로는 함박웃음을 짓는 시민들이 자유롭게 돌아다닌다. 혹시나 돈이 많다면 마요르 광장을 둘러싼 아파트에 살았으면 좋겠다. 뙤약볕에 남녀노소 뛰어노는 모습을 보면서, 내리쬐는 햇볕을 받으며 책을 읽으면 행복이라는 것이 체감될 것 같다. 한동안 광장 이곳저곳을 밟으며 행복 에너지를 충전했다.

떠나기 싫은 아쉬운 마음을 달래며 뒤로 돌아 나와 솔 광장으로 향했다. 근처에 마드리드에서 가장 유명한 츄로스집 '산 히네스(San Gines)'가 있다고 했는데 찾지 못했다. 원래 츄로스라는 것은 우리네 롯데월드가 맛집인 걸로 알고 있는데, 인터넷으로 주워듣기에 스페인 본토의 츄로스는 한국과는 전혀 다르니 꼭 먹어보아야 한다고 했다. 스페인 츄로스는 외려 우리 꽈배기와 마찬가지로 찹쌀 반죽을 기름에 튀겨 바로 내주며, 설탕을 묻히지 않고 진한 핫초콜릿에 찍어 먹는 것이라고 한다. 흠. 쫀득한 꽈배기와 진한 초콜릿의 조합이라. 이보다 확실한 맛조합이 없을 것으로 확신한다. 오늘은 아니더라도 1일1츄로스를 하고 가야 하는 동네이다.

근처 '솔 광장(Puerta del Sol)'을 찾았다. 의 본래 뜻은 '태양의 문'이다. 중세시대에는 태양 그림이 그려진 성문이 이곳에 있었다. 마드리드 구도심으로 들어가는 입구였나 보다. 솔 광장에는 스페인 각지로 출발하는 10개의 국도가 출발하는 '기준점(Origen de Carreteras Radiales)'이 있고, 이 기준점을 밟으면 마드리드에 다시 온다는 속설이 있단다. 파리 '포앵제로(Point Zero)'와 같은 신앙인가 보다. 이곳 솔 광장에서는 매년 말일 '노체비에하(Noche vieja)' 행사가 열린다. 사람들이 모여 새해맞이 카운트다운을 세면서 종이 울릴 때마다 다 같이 숫자를 외치며 청포도를 한 알씩, 모두 12알을 먹는데 한 해 열두 달을 상징한단다. 원래 스페인도 질 좋은 와인 생산지로 유명한데, 1895년 포도가 대풍년이었다고 한다. 그래서 그해 연말 사람들이 모두 솔 광장에 모여 포도를 엄청 먹어댔고 이것이 기원이 되어 1909년부터 농부들이 모여 다같이 포도를 먹기 시작했는데, 그로부터 지금의 '새해맞이 포도먹기 대회'가 유래했다고 한다. 솔 광장 중앙에는 카를로스 3세의 동상이 있고, 광장 한편에는 마드리드라는 이름의 유래가 된 '딸기나무에서 딸기 따먹는 곰(El Oso y el Madrono)' 동상이 있다. 곰에 비해 딸기나무가 좀 작아보이는데 원래 이 크기인지 모르겠지만, 어쨌든 곰이 무척 귀엽다. 광장의 중심이 되는 건물은 舊 왕립우체국 現 지방정부 건물이다. 우체국이 왜 이렇게 거창한가 싶었는데, 18세기에 건립되었다고 하니 아마 스페인 제국의 정보통신부쯤 되는 역할을 했었나 보다.

길을 계속 걸어 '그란비아(Gran Via)'에 도착했다. 자라, 망고 등 본토의 브랜드들이 거대한 매장을 자랑하며 손님들을 유혹하고, 프랜차이즈 백화점 '엘 코르떼 앙헬레스(El Corte Angeles)'가 우람한 자태를 뽐낸다. 지나다니는 사람들을 보면 우리 명동과 비슷한 분위기도 느낄 수 있고, 큰 대로를 사이에 두고 높은 빌딩들이 줄지어 서 있는 것을 보면 여의도나 강남 같은 느낌도 난다. 가끔씩 기마경찰들이 순찰을 도는 모습이 자주 보인다. 이탈리아에서는 잘 못 봤는데, 영국이나 스페인 경찰은 말을 애용하는 것 같다.

기마경찰은 원래 기병에서 파생될 수밖에 없었다. 경찰이라는 조직 자체가 보행경찰로 시작해서 기마전술을 도입한 것이 아니라, 애초부터 말을 탄 상태가 기본이었던 것이다. 과거 왕정시대에는 경찰과 군이 딱히 구분이 없고, 치안 유지라고 해봤자 기껏 어느 구역, 어느 일대를 주름잡는 유지의 부하들이 1차적으로 담당하고 더 중대한 사안을 군, 즉 군사경찰이 마무리 하는 정도의 체계가 수립되어 있었을 것이다. 영주 또는 군주가 관할하는 구역이 넓어짐에 따라 치안력의 공간적 범위를 넓혀야 할 때 보병보다는 기병에의 의존성이 커졌다. 그리고 점차 시간이 흘러 군과 경찰이 분리되면서, 기병도 기마경찰로 변모하였다. 기마 상태는 보행 상태보다 거의 모든 것이 우월하다. 기동력은 말할 것도 없고, 2미터 이상 올라간 위치에 따른 시야의 확장, 그리고 사람들에게 주는 위압감 등 경찰 역할 수행에 큰 도움이 된다. 특히 시위대를 맞닥뜨릴 때, 보행경찰은 진압에 불리하고, 경찰 차량 또는 기계적 이동수단은 과잉진압이 될까 우려된다. 이럴 경우 기마경찰은 효율적인 정리 및 질서유지 수단이 될 수 있다. 우리나라에서는 1946년 최초로 서울경찰기마대가 출범하였으나, 말

유지 관리의 효율성 측면이나 국민 정서 측면에서 유지할 필요성이 없어져 2020년대에 모두 폐지되었는데, 폐지 과정에서 말 강제 안락사 등의 문제가 불거지기도 했다. 한편 제주에서는 1947년 기마경찰이 어린이를 치는 사고가 발생하여 결국 제주 4.3사건의 방아쇠로 작용한 불행한 역사에도 불구하고 현재 관광자원의 목적으로 자치경찰기마대를 운영하고 있다. 서울에서도 광화문광장이나 용산가족공원 등에서 기마경찰이 돌아다니면 꽤 볼만 할 것 같다. 우리보다 시위대가 격하게 항거하는 영국, 프랑스 등 유럽국가의 경우 기마대는 여전히 시위 및 폭동 진압용으로 사용하고 있다.

그란비아를 따라 내려가서 '스페인 광장(Plaza de Espana)'에 도착했다. 세르반테스와 돈키호테 조각상은 3미터 정도로 매우 컸다. 세르반테스 위쪽의 소피아 왕비 조각상 때문에 거의 건물처럼 보일 지경이었다. 스페인 광장은 광장이라기보다는 공원의 느낌에 가까웠고, 사람들도 휴식을 위해 산책을 나온 느낌이었다. 노부부가 많이 보였다. 아까 못 간 '산히네스' 츄로스집이 못내 아쉬워 다시 찾아가보기로 했다. 가는 길에 '세나도 궁전(Palacio del Senado)'이 보여 사진을 찍고 있는데, 한 무리의 남학생들이 지나가는데 그중 한 명이 떡하니 카메라 시야를 가리고 포즈를 취한다. 피사체가 되고 싶은건가, 사진을 찍어 직접 보여줬더니 "중국에 계신 부모님께 보내드리세요(Send it to your parents in China)!" 한다. 어린노무시키가 벌써부터 인종차별이라니, 멱살을 잡을 뻔 했지만 머나먼 타국에서 불의의 사고를 내면 안되기에 꾹 참고 한마디 해줬다. "너희 부모님부터 만나보자(Let me see your parents first)!"

미겔 데 세르반테스(Miguel de Cervantes)는 <그리스인 조르바>의 살아있는 현시이다. 그의 아버지는 의사, 할아버지는 변호사였다. 내로라 하는 집안으로 보이겠지만 16세기 의사나 변호사의 지위는 이발사나 관공서 서기에 불과했고, 세르반테스의 집안은 정통 기독교 집안도 아닌 개종 유대인계였다. 아직 대중적으로 의학과 법학이 전문 학문으로서 정립되지 않은 상태에서 의학적 치료를 위한 민간요법은 이발사가, 변변한 공문서 작성은 서기가 했던 것이다. 그나마 할아버지는 정식 법대를 졸업하고 공직도 여러 번 거쳐 부유했지만, 성공한 이후 자녀들을 내팽개침으로써 세르반테스의 아버지는 결국 빚쟁이 가난뱅이가 될 수밖에 없었다. 자연스레 청소년기의 세르반테스는 지독한 가난에 익숙했고, 비상한 머리로 할 수 있는 취미라고는 문자에의 집착뿐이었을 것이다. 장성한 세르반테스의 생애는 파란만장 그 자체이다. 스페인 추기경을 따라 로마 교황청에 파견되었다가 스페인의 연합국인 나폴리에서 스페인 해군에 입대한다. 그러나 오스만을 상대로 한 레판토 해전에서 총상을 입고 왼손을 잃은 데다가 귀국 중 튀르크 해적에게 포로로 잡혀 노예로 살다가 몸값을 주고 풀려난다. 이후 포르투갈 궁정에서 일하던 중 군대 전역증이 나와 집으로 돌아가려 했으나 역시 해적들에게 또 잡혀 이번에는 알제리에서 노예 생활을 한다. 이때는 마드리드 트리니타리아스 수녀원에서 몸값을 모아 지불하여 풀려났다. 무사히 귀국하여 그라나다에서 세금징수 업무를 보다가 사무소의 도산으로 또 다시 옥살이를 하며, <돈키호테>를 구상한다. 석방된 이후 집필한 <돈키호테>는 어마어마한 성공을 거두었고, 이때가 그의 나이 58세 때이다. 트리니티 탁발 수도원에서 일을 돕다가, 당뇨병 등으로 68세에 사망했다. 사후에 그는 트리니티 탁발 수도원에 매장되었으나 그 누구도 정확한 위치는 알지 못했고, 2014년 스페인

정부가 수녀원 땅을 뒤져 세르반테스로 추정되는 유해를 발굴했다. 세르반테스는 수많은 작품을 남겼지만, 그중에서도 생애를 통틀어 느꼈던 자유의 중요성, 진리의 가치, 사회의 부조리함을 재기 넘치는 유머에 남김없이 담아낸 <돈키호테>는 역사상 손에 꼽히는 걸작으로 칭송받는다. 세르반테스와 거의 항상 함께 거론되는 사람이 셰익스피어인데, 우연히 활동연대도 둘이 비슷해 말 그대로 근대문학의 시조 쌍벽인 셈이다.

다시 마요르 광장 근처로 돌아와 '산히네스'를 찾았다. 골목 구석에 숨어있었는데도 유명한 집이라 그런지 손님들이 바글바글하다. 자리가 꽉 차 있다가 마침 한 자리 일어나길래 잽싸게 차지했다. 츄로스 6개와 핫초콜릿 세트(3.8유로)를 주문하고 둘러보니, 대략 2인분인 것 같다. 후, 바지 단추를 풀고 먹어야겠군. 의외로 따뜻한 츄로스가 바삭하고 쫄깃하여 초콜릿에 찍 어먹으니 6개도 별 것 아니었다. 눅눅하고 질겼다면 또 모를 일이다. 우리나라 츄로스는 겉은 일반과자 같고 속은 빵 같다면, 본토 츄로스는 겉바속촉의 진리이다. 떡도 아니고 빵도 아닌 것이 깨물 때는 바사삭하니 맛의 신세계이다. 핫초콜릿은 단맛이 거의 없이 씁쓸한 소스에 가까워 츄로스의 느끼함을 상쇄하는 기능이 있는 것 같다. 다 먹고 목이 말라 주방에 가서 물을 달라고 하니, 한 잔 가득 물을 준다. 사람들이 물을 많이 찾는지 컵마다 이미 물을 많이 따라놓고 있다. 기분 좋게 배를 두드리며 문을 나섰다.

지하철을 타고 레티로 공원(Parque de el Retiro)에 갔다. 주말이어서인지 가족이나 연인 단위로 소풍을 많이 나와 있다. 굳이 여행을 와서 휴식을 취하고 있는 현지인들을 보며 부러워하는 것이 어이없지만, 어쨌든 평화로운 주말을 보내고 있는 사람들을 보니 내 마음도 편안해지면서 부러움이 스멀스멀 올라왔다. 여행을 마치고 돌아가면 나도 이렇게 주말에 공원에 나와 산책도 하고 책도 읽으며 한가로운 시간을 만끽해야지, 하고 다짐한다. 지키지 않을 걸 알아도 공허한 약속만큼 뿌듯한 것도 없지 않은가. 공원 가운데에 알폰소 12세 기념비가 있고 그 앞에 거대한 호수가 있다. 호수에 조각배를 띄우고 삼삼오오 친구들끼리 노를 저어 노닌다. 나도 한때 친구들과 한강에서 왜 탔는지도 모를 오리배를 타고 놀았는데. 아무 걱정 없이, 아무 생각 없이 친구들과 낄낄깔깔 웃고 떠드는 시간이 가장 빛나는 시간이다.

오후 5시쯤 되어 '프라도 미술관(Museo del Prado)'으로 이동하려고 나섰다. 공원 앞에 책시장(Librerias Cuesta Moyano)이 있다. 주말시장인지 상설인지 모르겠는데 책이 가득한 가판대가 도로변에 죽 늘어서 있고, 컨테이너 가게마다는 저마다의 이름도 있다. 청계천을 연상시키는 거리이다. 미술관 가는 길의 '카이샤 포럼(Caixa Forum)'에서 픽사 전시를 하는데, 들를 시간이 없어 아쉬웠다. 길 안쪽으로는 '왕립식물원(Real Jardin Botanico)'이 있는데 화창한 꽃들이 여름의 만개를 선언하는 듯 하다.

프라도 미술관의 '프라도(Prado)'는 서어로 초원 또는 목장이라는 뜻인데, 과거 초원이었던 이곳을 말해준다. 카를로스 3세는 자연사박물관을 지을 계획으로 건물을 건립하였지만, 이후 스페인을 침략한 나폴레옹은 이곳을 병기창고 겸 마구간으로 썼다고 하니, 문자 그대로의 의미인 목장으로서의 역할도 톡톡히 다한 셈이다. 월요일부터 토요일까지 오후 4시부터 6시까지, 일요일에는 5시부터 7시까지 무료개방을 한다. 무료개방 정보를 전 세계인이 공유했는지, 5시 30분쯤 미술관 앞에 가봤더니 사람들이 건물 벽을 타고 돌아 거의 200미터

가까이 줄을 서 있는 것 같다. 6시가 되면 차례차례 들어가겠지 하고 줄에 서지 않고 가까운 벤치에 앉았다. 벤치 뒤에 보니 벨라스케스(Diego Velazques) 동상이 있는데 그쪽 입구가 벨라스케스 입구인가 보다. 야간개장 입구는 고야(Francisco Goya) 입구이다. 고야 동상 아래쪽에는 <옷을 벗은 마야>가 조각되어 있어 작품의 명성을 말해준다.

6시가 되어 가는데 갑자기 굵은 빗방울이 투둑투둑 떨어진다. 이래저래 대기줄에 가서 서 있자니 어마어마한 소나기가 쏟아붓는다. 으악. 이탈리아의 비가 기분 나쁘게 옷을 적시는 부슬비라면, 스페인의 비는 폭포다. 일순간의 스콜이 쏴아, 대지를 내리친다. 줄에 선 채로 비에 쫄딱 젖었다. 매표소에서 표를 받고 다시 고야 문으로 올라가 입장했다. 표에 무슨 표시가 되어있는 것도 아닌데, 왜 굳이 표를 나눠주고 또 입구로 다시 올라가게 해서 생고생을 하는지, 이해할 수가 없다. 이곳도 비효율적인 행정 놀음이 판을 치고 있는 것 같다. 물에 빠진 생쥐 꼴까지는 아니더라도, 마음은 심통난 생쥐처럼 소지품 보관소에 가방을 맡기고 관람을 시작하였다. 고야 문으로 들어가는 층은 1층이고, 전시관은 G층부터 2층까지로 이루어져 있다. 고야의 작품들은 G층부터 2층까지 고루 퍼져 있고, 벨라스케스와 엘그레코(El Greco)의 작품은 주로 1층에 있다. 1층의 정중앙에는 벨라스케스의 <시녀들>이, 그 왼쪽에는 루벤스와 무리요, 그 오른쪽에는 엘그레코, 리베로, 티치아노의 작품이 있다. 관람객들은 벨라스케스의 <시녀들> 앞에서 웅성웅성 무리를 이루며 관람하고서는 이내 또 전시실 제일 안쪽 고야의 <옷을 벗은 마야> 앞에서 침묵의 무리를 이루며 관람한다. <옷을 벗은 마야>는 <옷을 입은 마야>와 함께 나란히 걸려있는데도 사람들은 굳이 옷을 벗은 쪽보다는 옷을 입은 쪽 앞에서 대화를 나눈다. 재미있다.

프라도 미술관은 고야의, 고야에 의한, 고야를 위한 미술관이다. 고야는 조국과 역사에 천착한 그림을 많이 그려서인지 스페인 내에서 주로 소비가 이루어졌던 것 같다. 스페인 출신이지만 거의 프랑스 작가처럼 여겨지는 피카소와 반대이다. 한 작가의 작품은 한 층에 몰아놓거나, 또는 저층부터 고층으로 올라가면서 시간순으로 배열하는 것이 자연스러운 배치일 것이다. 그러나 프라도 미술관에서 고야의 그림은 2층에서 1층, 그리고 G층으로 내려오면서 시간이 흐른다. 고야가 말년에 그린 그림의 중요성이 너무 크기 때문에 집에 가는 순서대로 그림을 보라는 의미일 수도 있고, 그의 화풍이 초기 긍정적, 낙천적인 분위기에서 후기로 갈수록 피폐해져 가는 하강의 과정이기 때문일 수도 있다. 2층 전시실에는 고야의 초기 전원 풍경을 그린 풍경화가 주를 이룬다. 화사하고 예쁘긴 했지만 대가라기보다는 재능 있는 학생의 작품 느낌이었다. 그러다가 1층에 있는 궁정화가 시기의 작품을 지나 그리고 G층에 있는 말년의 작품들을 보면 비로소 대가로서의 위엄, 범접할 수 없는 아우라가 느껴진다. 후기 로코코 시대 활동을 시작했던 고야는 화려하면서도 허무한 환락을 묘사한 그림을 많이 창작했다. 52세 궁정화가가 되었을 당시 이미 고야는 화사하고 예쁜 화풍을 탈피한 상태였다. 나이 들어가는 작가의 성숙함이나 노련미, 그리고 계몽주의의 궤를 벗어난, 인생에 대한 회의감이 엿보이는 듯하다.

<1808년 5월 3일>은 에두아르 마네의 <막시밀리안 황제의 처형>, 피카소의 <한국에서의 학살> 등 수많은 작품들의 모티브가 되었다. 그림 왼쪽은 전등불로 인해 환하고 밝은 반면, 오른편은 칠흑 같은 암흑으로 뚜렷

이 명과 암으로 구분된다. 자연스레 눈이 가는 밝은 쪽을 유심히 살펴보면 아뿔싸, 잔인하고 비참한 참상이 너무나 극적으로 또렷하게 다가온다. 프린치페피오 언덕을 뒤로 등지고 바닥에 엎어진 사람은 피투성이이다. 더 나아가 그의 아래에는 나체로 자빠진 시체, 피로 뒤덮여 형체가 명확하게 보이지 않는 시체가 있다. 그 옆에는 죽음을 기다리고 있는 사람들이 극한의 공포에 떨며 두려워하고 있다. 눈이 부시게 환한 조명을 맞으며 양팔을 뻗은 청년의 손바닥에는 그리스도와 같은 자상이 있는 듯하다. 살려달라고 비는 것일까, 죽더라도 스페인 만세! 라고 외치는 것일까. 그 뒤에는 눈 앞에 펼쳐진 참상에 정신이 아득하고 이제 다가올 죽음에 처절히 슬퍼하는 사람들이 줄을 지어 서 있다. 군중의 행렬은 화면 저 먼 곳까지 끝이 보이지 않는다. 이날 희생된 사람은 수천 명이었단다. 이제 어두운 쪽으로 시선이 간다. 군인들은 행장도 풀지 않고 칼도 그대로 차고 있는 상태로, 경직된 자세로 농민들에게 총부리를 겨누고 있다. 이쪽에서는 얼굴이 보이지 않는다. 작가가 의도적으로 악마성을 띤 군인들의 얼굴을 일부러 그리지 않은 것인지, 맞는 모델을 찾을 수 없었던 건지 알 수 없다. 군인들은 사람이라기보다는 감정이 없는 로봇이나 기계 같다. 1808년, 프랑스는 스페인을 침략하고 나폴레옹은 자신의 형에게 스페인 국왕 직위를 선물한다. 이에 5월 2일 마드리드의 시민들은 무기 없이 프랑스와 이집트 연합군에 격렬히 저항하였다. <1808년 5월 2일>에서 마드리드 시민들은 맨손으로 말에 탄 이집트 병사를 끌어당기고, 육탄전을 벌이고 있다. 이날은 시민들의 승리로 끝났지만, 이 다음날 프랑스군은 소총을 가지고 와서 비무장한 시민들을 처형하였다. 프랑스군에 가장 격렬히 저항하고 또 철저히 핍박받은 지역 중 하나가 사라고사인데, 고야는 사라고사 인근 출신이었다. 고야가 5월 3일을 소재로 삼은 것은 아마 끓는 피가 시켜서 한 일일 것이다.

<검은 그림(Picturas Negras)>은 소재, 표현방식, 색채 등을 떠나 인간의 공포를 날것 그대로 펼쳐 보여준다. 공포의 심연, 근원의 암흑. 심장 속에 있는 공포라는 것을 그대로 빨아들여 뱉어놓은 느낌이다. <자식을 잡아먹는 사투르누스>는 어떠한 상징도 은유도 없다. 작은 인간을 잡아먹는 괴물의 모습이 너무나 정직하게 그려져 있다. 두 손으로 붙잡은 몸통은 머리와 왼팔을

어깻죽지에서 잃어버렸다. 오른팔은 팔꿈치까지 괴물의 입에 들어가 있다. 괴물 자신조차도 분노나 적의보다는 고통스럽거나 공포에 질린 듯한 표정이다. 자기 자신에 대한 혐오일까, 거부할 수 없는 숙명에 대한 공포일까.

벨라스케스의 <십자가에 매달린 그리스도>는 혁신적이고 충격적이다. 캔버스의 위아래 양옆에 빈틈 없이 십자가가 꽉 채우고 있고 그리스도가 인체의 약 1.5배 정도 되는 크기로 정면에 딱 배치되어 있다. 원근법이나 소실점을 고려하지 않고 온전히 대상으로만 캔버스를 꽉 채우고 있는데, 그리스도가 마치 돌출되어있는 듯한 느낌이다. 벨라스케스의 작품인 줄 몰랐다면 카라바조의 것으로도 보일 만큼 검은 배경에 대비하여 인물이 환하게 묘사되어 있다. 인체, 목재, 섬유의 치밀한 묘사는 그림이 아니라 마치 조형 또는 실제 인물을 보는 것 같다. 모든 질감이 극도로 사실적이어서 그리스도 머리의 후광조차 실제인 것 같다. 실제 예술가가 행위예술을 하고 있는 것 같기도 하다.

엘그레코(El Greco)가 그린 인물은 순정만화 주인공들처럼 큰 눈망울에 아련하게 눈물기가 어려있다. 왜 이렇게 만화처럼 그렸나 의아했는데, 나중에 스페인을 다니다 보니 스페인 사람들이 옆에서 보면 정말 그렇게 생겼다는 것을 알고 새삼 놀랐다. 또 인물들이 은근 섹시하게 잘 생겼는데 엘그레코가 미화한 것이 아니라, 스페인 사람들이 정말 그렇게 잘 생겼다. 그렇다 해도 신체 비율만큼은 비현실적이다. 머리는 조막만 하고 비율은 거의 12등신에 가깝다. 이건 당대뿐만 아니라 현대 스페인인들도 되기 힘든 몸이다. <성 삼위일체>는 죽은 성자를 안고 있는 성부, 그리고 그 위 비둘기로 표현되는 성령을 표현하였다. 산타마리아 노벨라 성당에서 보았던 마사초의 <성 삼위일체>는 성부와 성자가 일직선상에, 그것도 완벽하게 균형 잡힌 아치 아래 일렬로 서 있는데, 엘그레코의 <성 삼위일체>는 인물들이 모두 흐느적거린다. 성자를 붙잡고 있는 성부의 손이 하도 엉성해서 금방이라도 성자가 작품 밖으로 흘러내릴 것 같다. 미켈란젤로 <피에타>의 성모마리아처럼 안정적으로 좀 꽉 안고 있을 것이지, 여기 성부는 힘이 없는지 그리스도의 겨드랑이와 옆구리만 붙잡은 채 놓칠 것처럼 불안 불안하다. 그리스도의 피부색은 회색에 가깝게 창백하지만 의식은 온전히 있는 것도 같고, <피에타>처럼 표정은 편안해도 자세는 그렇지 않은 듯하다. 이상적인 인물 외모와 화려한 색상에서 오는 아름다움은 논할 필요가 없지만, 여러모로 사람 불안하게 만드는 그림이다.

중앙 대복도에는 티치아노가 그린 <아담과 이브>, 그리고 이를 다시 그린 루벤스의 작품이 같이 걸려있다. 프라 안젤리코의 <수태고지>는 정통 르네상스의 아름다움을 느끼게 해준다. 3분할 된 그림을 관통하는 대각선의 태양 빛, 선명한 푸른 빛으로 곱게 채색된 성모마리아, 황금 날개와 은은한 핑크색 제의를 입은 가브리엘도 아름다웠지만, 그 무엇보다도 놀라운 것은 가죽옷을 입은 채 에덴동산에서 추방당하는 아담과 이브였다. 가죽옷이 너무 치밀하게 묘사되어 현재의 무스탕 못지않다. 원시시대 기술 좋구먼.

과거 플랑드르 지방을 통치한 전력이 있어서인지, 펠리페 2세가 플랑드르 작품을 좋아해서인지 히에로니무스 보스(Hieronymus Bosch)의 작품이 꽤 있다. <쾌락의 정원> 3폭 제단화는 볼수록 기괴하고 이해불가다. 낙원 편에서는 하느님이 에덴동산에 아담과 이브를 창조하는 것까지만 알겠고, 호수에 떠 있는 요상한 분홍 물체조차 뭔지 모르겠다. 현세 세속 편으로 넘어와서는 사람들이 말도 타고, 놀이기구도 타고 이것저것 재미있게 지내는 것은 알겠는데, 전체적으로 보자면 그로테스크한 뮤직페스티벌 같은 느낌도 나고 귀신 들린 놀이동산 같은 느낌도 난다. 마지막 지옥 편은 마녀사냥을 연상시키는 고문의 향연인데, 소름끼치게 무서운 느낌이라기보다는 그 기이함과 기괴함 때문에 불쾌한 느낌이 난다. 크든 작든 죄를 짓고 왔기 때문에 무시무시한 벌을 받는 것일 텐데, 리코더로 항문을 관통당하거나 엉덩이에 악보가 새겨진 채 거대한 악기에 짓눌리는 등의 벌은 왠지 우스꽝스러운 느낌이다.

8시 폐관시간이 되어 '시벨레스 광장(Plaza de Cibeles)'으로 이동하였다. 마드리드에서 가장 아름다운 야경이라고 들어서 기대를 품고 왔는데, 아직도 해가 안 졌다. 확실히 우리나라보다 유럽의 위도가 훨씬 높다는 것을 깨달았다. 조금 더 기다려서 야경을 보고도 싶었지만, 오늘 10시 산티아고 베르나베우(Santiago Bernabeu) 경기장에서 열리는 축구경기를 예매해 놓았기에 아쉬움을 안고 이동했다.

오늘 경기는 레알마드리드(Real Madrid FC)와 알메리아(Almeria FC) 간의 경기이다. 지하철을 타고 가는 중에 레알 마드리드 레플리카를 입고 결의에 찬 표정을 지은 많은 젊은이들과 중년 아저씨들을 보았다. 시즌 리그 경기인데 무슨 국가대표 경기의 느낌이다. 산티아고 베르나베우 역에 도착하니 분위기는 더욱 달아올랐다. 이미 수많은 경찰이 포진해 있고, 매점은 매점대로 노점상은 노점상대로 사람들이 북적인다. 모든 입구가 다 열려 있었는데도 사람들이 입구에서 줄을 서서 기다리고 있고, 갓 도착한 사람들이 자기 입구를 찾아 빠르게 움직이고 있다. 나는 팝콘과 사이다(5유로)를 사서 44번 게이트로 이동하였다. 지하철역에서 한참 되었다. 입구에서 소지품 검사를 하는데, 사이다병 뚜껑을 열어서 들어가라고 했다. 입구에서 검사를 받고 경기장으로 들어가는데 기분이 묘했다. 8만 명 중의 하나가 되는 기분은 어떨까. 경기장에 들어가 보니 과연 어마어마했다. 4층 높이의 관중석에 사람들이 빼곡히 들어차 있고, 경찰들이 피치를 뻥 둘러싸고 바리케이드를 치고 있었다. 내 자리로 가보니 이미 어떤 아저씨 2명이 그 옆에 자리를 잡고 있었다. 자리에 앉아서 팝콘을 대충 뜯고 있는데 선수들이 호명되었다. 챔피언스리그 기간 중에, 약체인 알메리아를 상대하는 데다가, 허벅지까지 부상이니 크리스티아누 호날두가 나오지 않아 김이 샜지만, 가레스 베일이나 리마리오 같은 선수들이 호명될 때 관중석이 들썩들썩하는 것을 보니 나도 왠지 두근거렸다. 뜨거운 환호 속에 경기가 시작되었지만, 전반전은 약간 지루하였다. 볼 점유율은 레알마드리드가 훨씬 높았지만 이렇다 할 슛이나 결정적인 장면이 나오지 않았다. 판정이 왠지 부당하다고 느끼면 스페인 아저씨들은 마치 아카데미 시상식에서 시상자가 수상자를 부르듯이 손가락을 모으고 팔을 뻗어 몸으로부터 45도 각도를 이루며 치켜 올리는 습성이 있었는데, 처음에는 웃기다고 구경하다가 얼마 지나지 않아 나도 똑같이 하고 있었다. 특별한 재미 없이 경기가 이루어지는 가운데, 앞쪽에 앉은 할아버지와 아저씨가 번갈아가며 담배를 피우는 통에 연기를 이리저리 피하느라, 들이마시느라 정신이 하나도 없었다. 잠시 경기장이 흡연부스인가 헷갈렸다. 스페인을 비롯한 유럽국가들은 담배에 매우 관대한 편이라서 길빵하는 것도 뭐라 하는 사람이 없고, 영유아를 유모차에 태운 아기엄마도 담배를 피우면서 지나간다. 흡연을 일종의 부도덕, 무례로 인식하는 한국이 좋다는 생각이 든다.

그렇게 지루한 전반전이 끝나고, 쉬는 시간이 되자 사람들이 삼삼오오 모여 전반전 이야기를 하는 것 같았다. 그리고 드디어 진풍경이 펼쳐졌다. 처음에 무슨 선물봉투 같은 것을 들고 들어올 때 저게 뭔가 했는데, 스페인 축구 관람객들의 주식 해바라기씨였다. 한번 까기 시작하니 대책이 없었다. 부스럭부스럭 바드득바드득 다들 다람쥐처럼 해바라기씨를 까먹고 껍질을 바닥에 버리기 시작했다. 순식간에 바닥에는 해바라기 씨껍질이 수북이 쌓여 걸을 때마다 씨껍질을 헤치고 나아가야 하는 난장판이 되었다. 세계 최고의 클럽리그의 관람객들이 설치류처럼 해바라기씨를 까먹고, 담배를 피우고, 고성방가하는 모습이라니. 한편으로는 믿기 힘들고도, 한편으로는 우스운 광경이었다. 경기장은 완전 시골 장터인데 축구 실력은 세계에서 내로라 하는 선수들이라니. 또 한편으로는 스페인 사람들이 대단하다는 생각이 들었다. 최고 수준의 경기를 보면서 아무렇지 않게 부스럭대고 있으니. 웃긴 동네이다.

아무튼 한바탕 수다가 끝나고 후반전이 시작되었다. 알메리아의 체력이 현저히 떨어진 가운데 베일 등이 수차례 골을 넣어 3:0이 되었다. 시각은 11시 30분을 넘어가고 있었다. 축구가 다 끝나면 분명히 지하철역이 마비될 판이었다. 지하철이 서지 않을 수도 있었다. 나는 옆자리 아저씨들께 죄송하다고 하고 자리를 빠져나와 지하철역으로 내달렸다. 이미 어린 아들 손을 잡은 아버지들이 많이 내려와 있었다. 역시나 인지상정이었다.

DAY 2 마드리드

당신의 리즈시절은 언제입니까

오늘은 오전에 세고비아, 오후에 톨레도를 가는 바쁜 날이다. 오전 8시 프린치페피오 버스터미널에서 출발하는 버스를 타기로 한다. 버스터미널은 기차역 앞쪽의 지상 1층 지하 2층 되는 건물이다. 신기하게 승차장이 지하에 있다. 세고비아행 버스를 타고 세상 모르게 잤다. 간만의 꿀잠이다. 어떻게 그렇게 잘 잤는지 신기하다.

세고비아 터미널에서 내려서 빵집이 있는 쪽 입구로 나와 길 건너 바로 보이는 골목으로 들어가면 페르난도 대로이고, 그 길을 따라 쭉 가면 수도교(Aqueduct)가 나온다. 그러나 나는 길을 한 번에 찾으면 입에 가시가 돋는 병이 있는지라, 대로를 또 한 바퀴 빙 돌아

헤매고 나서야 제대로 된 골목을 찾아 들어갔다. 다행히 수도교는 너무나 거대해서 세고비아 읍내 어디에서든 잘 보였다. 10시경 수도교의 위용이 드러나는 아소게호(Azoguejo) 광장에 도착했으나, 방문자센터에 직원은커녕 여행객도 없다. 어라. 10시면 충분히 늦은 시각이 아닌가. 혹시 이곳은 중세의 시간이 적용되는 곳인가. 의문을 품고 수도교 옆 성벽을 잠깐 올랐다 내려왔다. 수도교는 약 5층 정도 되는 높이인 것 같았는데, 성벽과 연결되어 있어서 성벽에 올라가면 수도교와 세고비아 읍내를 한꺼번에 잘 볼 수 있었다. 게다가 성벽 위에서 보면 저 멀리 푸른 들판과 옹기종기 모인 집들이 보이는데, 전원의 느낌이 물씬 풍기면서 가슴이 탁 트인다.

세고비아 수도교는 1, 2세기경 2만여 개가 넘는 화강암 블럭으로 건설되었다. 콘크리트는 당연하고, 시멘트나 모르타르도 없이 순전히 돌을 쌓아 221개의 교각을 만들고 아치 꼭대기에 종석으로 누르는 힘만으로 다리를 유지시켰다. 수원지는 이곳으로부터 약 16킬로미터 떨어진 프리오(Frio) 강이며, 물은 지하수로를 따라 두 개의 탱크를 지나 도시로 오는데 두 번째 탱크에서 물은 자연적으로 정화된다. 그 긴 거리 동안 경사도가 1퍼센트

(약 0.57도)라고 하니 로마인들의 치밀함에 치가 떨린다. 아소게호 광장 위로 걸쳐진 수도교 부분은 두 단의 아치로 지어졌으며, 가장 높은 구간은 30미터에 이른다. 이 수도교는 11세기 무어인 침입 때 피해를 입었으나, 15세기 복원되어 현재의 모습을 유지하게 되었다.

수도교 한가운데 귀엽고 소중한 성모자상이 있다. 아무래도 머릿돌 개념으로 설치한 것이겠지만, 역시나 귀여운 설화가 전해온다. 먼 옛날 이 마을에 물 긷는 처녀가 있었더랬다. 처녀는 매일같이 먼 거리를 왔다 갔다 하며 언덕을 오르락내리락하기 힘들어 악마와 영혼을 건 거래를 했다. 악마는 동트기 전까지 다리를 지어주겠다고 약속하고 신기를 발휘하여 순식간에 다리를 쌓아나갔다. 막상 영혼을 팔 시간이 다가오자 겁이 난 처녀는 성모마리아께 기도를 했고 성모마리아는 새벽닭을 일찍 울려 일찍 동을 틔웠고 악마는 마지막 돌 한 개를 쌓지 못하고 물러날 수밖에 없었다고 한다. 그리하여 감사의 의미로 성모자상을 설치했다는데. 수도교가 최초 건설될 때는 기독교가 박해받던 2세기이니, 이 이야기는 아마 복원할 때인가 보다.

방문자센터가 문을 열어 커피와 물을 사고 지도를 얻

어 세고비아 알카사르(Alcazar)로 출발했다. 디즈니 백설 공주의 성 그대로이다. 은은한 푸른색 지붕이 고귀한 기품을 드러낸다. 반들반들 성 뒤쪽으로 돌아가 보니 한길 낭떠러지 절벽 위, 저 멀리 평원을 가로지르는 강줄기, 그리고 한적한 마을이 보인다. 다분히 목가적인 전원 풍경이다. 원래 로마 시대에 세워진 조악한 목책 위에 이슬람 세력이 요새를 세웠고, 이를 바탕으로 12세기 카스티야-레온의 알폰소 8세가 본격적으로 건물을 개축하였다. 16세기에 이르러 펠리페 2세가 증개축하면서 현재의 뾰족한 첨탑과 중앙 정원이 추가되었다. 그러나 이후 마드리드에 새로운 왕궁이 신축되면서 세고비아 알카사르는 감옥이나 포병학교로 이용되다가 19세기 대형화재로 큰 피해를 입은 이후 복원되어 현재에 이르렀다.

구시가지로 돌아오면서 '세고비아 성모 대성당(Catedral de Santa Maria)'에 들렀다. 가장 높은 첨탑을 중심으로 여러 개의 첨탑들이 생일케이크 초처럼 둘러싸고 있는데, 그 모습이 세련되고 우아하여 '성당계의 귀부인'이라고 불린다. 16세기부터 18세기까지 건설되어, 스페인 후기 고딕양식을 따른다. 높은 벽 위에 난 내부 스테인드글라스가 성경의 장면을 정교하게 묘사하여 보는 즐거움이

크다. 거리에는 부활절 '세마나산타(Semana Santa)' 행렬이 시작되었다. 흰색 사제복 위에 덧입은 붉은색, 보라색 등 가지각색 복장이 거리를 수놓으면서 구경꾼들의 가슴을 설레게 한다. 아쉽지만 오늘 여기 세고비아 세마나산타는 보지 못하고 톨레도로 이동하기로 했다.

마드리드에서 세고비아는 2시간, 톨레도까지도 2시간 걸린다. 애초에 하루에 두 군데 모두 가겠다는 나의 계획을 들으신 민박집 사장님은 투어가 아닌 이상 그렇게는 못 간다며 만류하셨지만, 철저한 계획형 인간이자 광기에 사로잡힌 나는 결국 1일 2근교, 세고비아, 톨레도 관광을 집행하였다. 마드리드에서 세고비아행 버스는 프린치페피오 터미널에서 이용하지만, 마드리드에서 톨레도행 버스는 엘립티카(Plaza Eliptica) 터미널을 이용해야 한다. 나는 세고비아에서 마드리드 프린치페피오 터미널로 이동하고, 거기서 다시 엘립티카 터미널로 이동하여 톨레도로 이동하였다. 이 무슨 개뼈다귀 같은 경로냐 하겠지만, 이것은 마치 경주에서 안동으로 바로 가지 못하고 대구를 경유해야 하는 것과 같다. 대도시 주변의 소도시들은 자기들끼리 획책하여 대도시의 심기를 불편하게 해서는 안 된다. 어쨌든 지연 없이 모든 교통수단을 정각에 맞춰 탄 덕에 오후 2시경 톨레도에 도착했다. 톨레도 구시가지는 해발 한 200미터는 되는 것 같은데, 톨레도 버스터미널은 톨레도 구시가지로부터 깊이를 재자면 약 지옥쯤에 있다. 구시가지까지 가는 에스컬레이터도 있다고는 하는데, 시내버스를 타고 구시가지까지 들어갔다. 가는 길에 구시가지 성벽을 지나갔는데, <센과 치히로의 행방불명>의 터널을 지나듯 묘한 기분이 들었다. <센과 치히로의 행방불명>은 내 유럽여행을 함께하는 반려자 같은 만화영화다. '소코도베르(Zocodover) 광장'에 들어서서 기념품 가게에서 마지판(Marzipan) 만주를 사먹었다. 마지판은 아몬드를 갈아 슈가파우더와 섞은 앙금인데, 팥이나 녹두에 비해 고소한 맛은 덜하고 극도로 요상한 달콤한 향내가 강해 별로 입맛에 맞지 않았다. 아몬드 자체는 맛있지만, 아몬드 앙금은 포피시드머핀의 양귀비씨 같이 굳이 식용으로 쓸 필요 없는 재료 같다.

톨레도는 전설 속의 도시이다. 지금은 별볼일 없지만, 한때 화려한 전력을 자랑했던 만년부장같은 곳. 현재는 인구 10만이 되지 않지만, 과거 이베리아반도를 호령하던 위치. 기독교, 이슬람교, 유대교가 돌아가며 위세를 떨친 유럽의 예루살렘. 한때는 스페인 그 자체였던 곳. 진또배기 스페인. 이곳이 톨레도이다.

로마, 고트족, 이슬람, 기독교 등 모든 세력이 거쳐 간 덕분에 가지각색 양식의 건축물을 모두 찾을 수 있다. 원형극장, 이슬람 왕궁, 중세 기독교 성당 등 시간의 흐름이 도시 전체에 녹아 있다. 고딕, 르네상스, 바로크 등 전 마을이 유럽 건축양식의 박물관이라고 할 만한데, 신기하게 곳곳에 아랍 양식 또는 이국적인 특징이 양념처럼 뿌려져 별미가 된다.

톨레도 역시 로마제국의 점령으로부터 역사에 등장하였다. 게르만족의 대이동인 5세기때 서고트족이 이베리아반도를 점령하고 톨레도를 수도로 삼은 이후로, 이곳은 기독교의 땅이 되었다. 그러나 8세기 이슬람 제국은 서고트를 멸망시키고 아랍의 세력권으로 넣었고, 칼리파 왕조는 코르도바를 수도로 톨레도를 북부 전선으로 삼았다. 과학이 발달했던 이슬람 치하 톨레도에서는 그리스 시대부터 전승되어 온 의학, 수학, 천문학 등 여러 학문이 고루 발달했고, 종교적 자유까지도 또한 허용되었다. 자유에 기반을 둔 학문의 발전은 문화의 융성과 산업의 발달을 뒷받침하기에 충분했다. 11세기 카스티야-레온의 알폰소 6세는 레콩키스타를 통해 톨레도를 다시 수복하여 기독교 세계로 복귀시켰다. 그때부터 톨레도는 1561년 펠리페 2세의 마드리드 천도 때까지 5세기 동안 이베리아반도의 수도이자, 스페인 가톨릭의 본산, 성녀 데레사와 십자가의 성 요한의 고향 등 스페인 기독교의 전설이 되었다.

펠리페 2세때 마드리드는 톨레도에 비하면 보잘것없는 한적한 시골 마을에 지나지 않았다. 그러나 새롭게 중앙집권 왕국으로 부상하려는 스페인의 입장에서 끊기지 않는 전통 관습과 강한 토착 유지세력이 지배하는 톨레도는 오히려 독약이었다. 새 술은 새 부대에 담아야 하는 법. 새로운 역사를 쓰려는 스페인은 마드리드를 택했다. 톨레도의 리즈시절은 지나갔다. 붉은 꽃은 열흘 가는 법이 없고, 한때는 자랑거리였던 것이 언제고 애물단지가 될 수도 있다.

톨레도 구시가지는 대성당이라는 케이크를 위한 받침대 같은 존재다. 모든 길은 대성당으로 향하고, 사람들은 대성당으로 가거나 대성당에서 나오거나 둘 중 하나다. 골목골목 가게들에는 이 고장의 특산품인 강철을 자랑하는 기념품, 이를테면 중세갑옷, 중세검, 또는 그런 것들을 작게 축소한 피겨인형 등이 전시되어 있다. 질 좋은 철광석과 제철 기술의 발달, 표준화된 제련 공정 덕분에 톨레도의 강철제품, 특히 도검은 로마 시대부터 희소성과 가치가 익히 잘 알려져 있었다. 이 무기류를 활용해서 처음에는 고트족과 무어인의 이베리아반도 점령과, 그 이후 스페인의 신대륙 정복까지 이어졌다.

'톨레도 대성당'은 현재 스페인 가톨릭의 총본산이다. 일부를 무료로 개방하고 있고, 전체를 보려면 유료이다. 바르셀로나의 사그라다 파밀리아 성당은 현대에 건립하고 있는 현대식 성당이므로 차치하고, 스페인 최고이자 최대라는 세비야 대성당에 유일하게 맞먹을 수 있는 상대가 톨레도 대성당 아닐까 싶다. 15세기 레콩키스타 후기 이사벨과 페르난도 2세가가 무어 치하의 그라나다를 함락하고 스페인을 통일한 이후에는 톨레도 대성당을 중심으로 유대인 추방 정책을 실시하기도 하였다.

1955년 유대계 독일작가 리온 포이히트방거 쓴 <톨레도의 유대여인(Die Juedin von Toledo)>이라는 역사 소설에 톨레도는 유대인들의 집성촌 정도로 나온다. 12세기 과도한 전쟁으로 휘청이던 카스티야의 기독교왕 알폰소는 재무장관으로 유대상인 예후다를 기용하고 나라를 복구해 나가면서, 그 딸 라헬과 사랑에 빠진다. 그러나 한순간의 잘못된 선택으로 소중한 두 인물을 잃고 나서 어리석음에서 빠져나와 이성을 되찾고 회복한다. 한때 전쟁미치광이였던 알폰소왕이 라헬을 잃은 후 되새긴, 그녀와 나누었던 이념 '1온스의 평화가 1톤의 승리보다 소중하다'는 말은 세계대전과 홀로코스트를 지켜본 작가가 인류에 전하는 절절한 메시지일 것이다. 그런데 전쟁광 군주와 재상가 영애 간의 사랑이라, 로맨스판타지의 시초가 여기 있었구먼.

대성당은 7세기 서고트 시대에 현재의 위치에 최초로 교회로서 건립되었으나, 현재의 모습은 1226년 공사를 시작하여 1493년 완공되었다. 이슬람 시대에 모스크로서 기능했던 모습도 남아 있다. 정면 파사드에는 르네상스식 돔 지붕과 '무데하르(Mudejar)' 양식의 고딕탑이 동시에 우뚝 서 있어 패배를 모르는 두 문화의 대결을 보는 듯하다. 서로 견제하고 경쟁하는 와중에 자연스럽게 하나의 경관으로 융화되어 가는 모습이다. 무데하르라는 용어는 레콩키스타 이후 기독교 문화를 수용하면서도 이슬람교를 견지한 이들을 말하고, 반대로 이때 개종한 이들은 '모리스코(Morisco)'라 한다.

본당 안은 마치 치장하지 못해 죽은 귀신들이 공들여 꾸민 것처럼 온갖 아름다운 모습을 구현해 놓았다. 주랑의 기둥, 궁륭과 늑골, 장미창 등은 고딕양식을 따왔지만, 제일 앞부분 황금제단은 바로크 양식이다. 미쳐 돌아가는 황금색의 향연이 '늬 집엔 이거 없지?'하고 비웃는 건축가의 목소리인 것 같다.

본당 천장에 난 둥근 구멍을 통해 환한 빛이 새어 들어오고 그 구멍을 둘러 성인과 천사들이 옹기종기 모여 있다. 구멍 너머의 세계는 천국이고 성인들이 천국의 입구에서 불쌍한 나를 바라보는 모양새이다. 본당 천장에는 루카 조르다노(Luca Giordano)의 천장화가 있다. 따뜻한 파스텔톤의 색감으로 하느님과 성모마리아, 천사와 성인들이 날아다니는 천국을 표현했다. 성물실 정면에는 엘그레코의 <그리스도의 옷을 벗김>이 있다. 정 가운데에 피 같은 붉은 튜닉을 입은 그리스도가 하늘을 우러러보고 있고, 그를 둘러싼 병사와 군중이 옷을 잡아당기려 한다. 그리스도의 오른손은 밧줄에 묶여 가슴에 손을 얹고 있고, 왼손은 바닥으로 내리깔고 있는데, 그 왼손 아래에는 일꾼이 십자가에 못 박을 자리를 마련하고 있다. 마치 그런 죄인조차도 용서하려는 손짓이다. 가슴에 얹은 오른손은 언약 또는 맹세를 의미한다. 중지와 약지가 붙은 갸륵한 다섯 손가락은 엘 그레코 작품의 전형적인 손 모양이다. 장면의 왼편 아래쪽에는 절망에 빠진 성모마리아와 아마 막달레 마리아 그리고 사도 요한같은 창백한 피부의 인물이 십자가를 쳐다보고 있다. 그리스도가 입은 붉다 못해 새빨간 튜닉은 그리스도의 피를 상징하는 듯 그림의 다른 대상들과 명확한 대비를 이루며 잔상을 남긴다.

엘그레코가 생전에 더 사랑했던 작품은 이 대성당 뒤쪽 산토 토메(Santo Tome) 성당의 <오르가스 백작의 매장>이다. 장면은 라파엘로의 <그리스도의 승천>과 비슷하게 윗부분 천상계와 아랫부분 인간계로 나뉘는데, 양쪽 모두 배경이 아예 보이지 않을 정도로 사람들이 빽빽하게 들어차 있다. 지상에서는 사망한 오르가즈 백작을 두 명의 성인이 안치하고 그 옆에서 사제가 미사를 보는데, 뒤쪽으로 장례를 참관하는 수많은 친지, 귀족들이 얼굴을 내밀고 있다. 위쪽 천계에는 이제 막 부활한 듯한 그리스도가 오른팔을 아래로 뻗어 열쇠를 든 베드로에게 무언가 명령하는 듯하고, 그 오른 무릎 앞에 성모마리아가 잠자코 앉아 있다. 막 죽은 백작의 영혼은

벌거벗은 채 그리스도의 왼쪽 아래에서 우러러보고 있다. 내가 죽어 저렇게 그리스도 발치에 앉을 수 있을까는 모르겠지만, 아래 지상계의 매장 상황을 보면 부럽긴 하다. 성스럽고 엄숙한 분위기에 수많은 사람들이 애도하는 장례식. 백작을 매장하는 두 성인의 모습은 흔히 우리가 생각하는 불쌍하고 단출하게 망토 하나 입은 할아버지의 모습이 아니라, 눈부시게 빛나는 황금색과 붉은색의 제복을 입은 젊고 잘생긴 청년과 중후하고 멋있는 노인의 모습이다. 제복의 화려함과 우아함은 둘째치고, 청년의 얼굴은 백옥 같은 도자기로 말 그대로 모공이 보이지 않는다. 잘생긴 그 청년의 모습이 쉽사리 떠나지 않는다. 오르가스 백작 돈 곤잘로 루이즈 데 톨레도(Don Gonzalo Luiz de Toledo)는 14세기 인물로 신심이 매우 깊어 유언으로 매년 교회에 가축과 생활용품을 기부하도록 남겼으며, 사후 매장될 때 하늘에서 내려온 성 스테파노과 성 아우구스티노가 직접 매장했다는 전설이 있다. 16세기가 되어 성당에서 백작을 추모하고자 성화를 의뢰한 것을 보면 아마도 200여 년간 그 약속이 지켜졌나 보다. 200여 년간의 선의와 신뢰, 그리고 그에 답하는 보은의 자세 덕분에 수백년이 지나서까지 우리가 이런 좋은 작품을 감상할 수 있다.

서어로 '그리스 사람'이라는 뜻밖에 되지 않는 엘그레코(El Greco)의 그리스 본명은 도메니코스 테오토코풀로스(Domenikos Theotokopoulos)이다. 베네치아 치하 크레타 섬에서 태어나, 티치아노와 틴토레토에게 그림을 배웠다. 실력 때문이었는지 텃세 때문이었는지 베네치아에서는 자리 잡기 힘들었고, 스페인으로 건너와 펠리페 2세 시기 궁중화가로 지원하였다. 그러나 족보 없는 화풍 탓이었는지 개인적 취향 탓이었는지 탈락하고, 톨레도에 정착하였다. 히에로니무스 보스를 좋아한 펠리페 2세의 취향이면 엘그레코의 화풍은 천년이 지나도 인정받지 못할 것 같다. 여기저기서 거부되고 탈락한 비운의 작품활동 끝에 드디어 주목을 받게 되는데, 이는 르네상스로부터 매너리즘 양식으로의 미술사조 변화와 맞닿아 있다. 16세기 들어 원근법, 현실성, 정확성을 중요시한 르네상스가 점점 사그라들고, 회화에서 표현의 융통성을 강화함과 동시에 점점 미적 가치, 강인한 인상을 중요시하게 되었다. 길고 낭창하고 창백한 피부의 인물들로 순정만화를 주로 그리던 엘그레코의 그림이 빛을 발하는 순간이 온 것이다. 엘그레코는 성경의 내용과 가르침을 충실히 반영하면서도 자신만의 독창적인 화풍으로 유일무이한 종교화를 제작하였다. 엘그레코는 어느 미술사조에도 속하지 않았고 자신 또한 사조를 창조하지도 못했지만, 그의 그림은 보는 사람에게 직관적으로 다가가는 아름다움과 종교적 가치로 꾸준한 인기가 있는 것 같다. 대성당 뒤편으로 크고 작은 성당들이 골목골목 숨어있고, 길을 따라가다 보면 엘그레코 미술관(Casa-museo del Greco)도 있다. 원래 엘그레코가 살던 집은 아니고, 그 근처에 있던 다른 귀족 저택인데 역사나 건축 면에서 보존가치도 있어 엘그레코 미술관을 조성하였다고 한다.

버스를 타고 강 건너 '파라도르(Parador) 호텔'에 가서 톨레도 전경을 보았다. 숙박을 하지 않더라도 레스토랑 테라스에서 관람이 가능하다. 우리나라 안동과 비슷한 지형이다. 타호 강이 끼고도는 언덕의 모습은 손으로 오롯이 받쳐 든 빵 같기도 하다. 강물이 천연 해자의 역할을 하고, 가운데 언덕에서 적의 동태를 쉽게 파악할 수 있는 곳, 요새로서 제격이다. 세르반테스 언덕을 둘러싼 타호 강은 이곳을 지나 마드리드까지 흘러간다.

언덕 꼭대기를 올려다보면 고급 호텔 같기도 하고 웅

장한 궁전 같기도 한 '알카사르(Alcazar)'가 장대한 기골을 자랑하며 도시를 굽어보고 있다. 톨레도 알카사르는 로마 시대에 고을을 지배하기 위한 사무소로 처음 자리를 잡았고 이슬람 세력이 활용하였다가, 레콩키스타 때 이슬람을 퇴치하기 위하여 요새로 개축되었다. 스페인 내전 당시 반군 프랑코파의 호세 모스카르도(Jose Moscardo) 대령이 치안대와 사관생도들을 데리고 농성하기도 했듯, 꽤 최근까지 본래 역할을 다한 성채이다.

스페인은 정부 차원에서 나라 곳곳에 있는 고성, 궁전, 수도원 등 역사적 유적지 또는 특이한 건물을 매입, 개조하여 파라도르 국영호텔로 운영한다. 고성이나 수도원을 개조했으니 좋은 설비 수준은 보장되는 것이 당연하고, 위치 또한 접근성이 좋은 곳, 또는 그 자체가 뷰 맛집인 곳이 많은 데다가, 국영이라 가격대마저 합리적이어서 가히 숙소 계의 육각형이라 할만하다. 특히 스페인 전국 파라도르 중 이곳 톨레도, 론다, 세고비아, 그라나다, 네르하 파라도르는 손에 꼽히는 인기 호텔이다. 톨레도 파라도르의 뷰도 멋지지만, 론다 파라도르는 그 유명한 론다 수도교를 정통으로 조망할 수 있는 유일한 최고의 위치에 자리 잡고 있다. 따지고 보면 스페인만큼 자동차 여행하기 좋은 곳도 없는데, 너른 평원 위로 전국 각지의 파라도르들만 예약해 놓아도 좋은 드라이브 여행 코스가 된다.

파라도르에서 내려와 다시 고속버스를 타고 마드리드로 복귀하니 어느새 저녁 7시가 되었다. 시간은 7시인데 해는 아직 중천이다. 밤 문화를 즐기지 않는 나는 이 나라의 밤이 유독 길고 괴롭다. 매일 축구경기를 봐야 하나.

사랑하는 내 고장, 우리 사람들

오늘은 바스크의 중심 빌바오로 이동한다. 열차시각보다 훨씬 이른 아침 6시 숙소를 나서 갓 도착한 버스를 뛰어 잡아타고 마드리드의 중심역 아토차(Atocha) 역으로 이동했다. 그런데 무언가 이상하다. 열차시간표에 빌바오가 없다. 온 역사를 다 뒤지고 다녀도 오늘이 역에서 빌바오로 출발하는 열차는 단 한대도 없다. 열차표를 다시 보았더니 출발역이 차마르틴(Chamartin) 역이다. 아뿔싸. 아토차 역은 스페인 남부로 출발하는, 우리로 치면 영등포 같은 역이었구나. 나는 청량리로 갔어야 했다. 어쩐지 이른 아침부터 일이 잘 풀린다 했다. 허겁지겁 다시 지하철을 타고 차마르틴 역으로 이동했다. 다행히 꼭두새벽부터 길을 나선 탓에 그 삽질을 하고도 열차 시각에는 늦지 않았다. 플랫폼이 뜨자 박물관이나 미술관 입장처럼 신기하게 열차표 바코드를 찍고 입장한다. 테러에 대한 위협 때문인지 공항처럼 수하물 검색도 한다. 렌페(Renfe) 고속열차는 설비가 매우 좋고 깨끗하고 이어폰도 준다.

빌바오에 내려 구겐하임 미술관으로 향했다. 미술관 앞쪽 제프 쿤스(Jeff Koons)의 <퍼피(Puppy)>가 얌전하고 의젓하게 손님을 맞고 있다. 듬성듬성 꽃이 떨어져 나간 부분이 있지만, 빌바오 사람들의 최애임에 틀림없어 보였다. 미술관 뒤쪽에 있는 거미 작품 <마망(Maman)>(루이스 부르주아, Louise Bourgeois)도 무심히 잘 있다. 불행히 오늘은 월요일이라 미술관은 휴관이다. 한 바퀴 돌며 외관을 보는데 번쩍이는 은색 티타늄 판들이 햇빛을 모조리 반사해 눈이 부시고 열이 오른다. 산업화시대 철강과 조선업에서 강세를 보이며 부유하게 성장하던 빌바오는 산업경쟁력 약화, 바스크 분리주의 득세 등으로 쇠퇴일로에 놓인다. 위기를 타개하고자 모색한 방안은 문화도시로의 변모였다. 유명 건축가 프랭크 게리(Frank Gehry)에게 세계인들의 뇌리에 남을 미술관 건립을 의뢰했을 때, 프랭크 게리는 네르비온(Nervion) 강이 흐르고 다리로 이어지는 이 부지에 강철로 배를 만들던 도시의 이미지를 자연스럽게 녹여낸 안을 구상했다. 미술관의 위치는 그대로 강과 이어져 마치 강에 떠있는 강철배처럼 부유하는 모습도 되었다가, 물속을 헤엄치는 물고기의 모습도 되었다가 한다. 소장품도 중요하지만, 건물 자체로도 역사에 남을 유적이다. '빌바오 효과'라는 말이 괜히 나온 것이 아니다. 빌바오가 구겐하임 미술관을 유치하고 건립한 비용은 1억 유로 정도 된다고 하는데, 그로부터 얻은 이익은 수십억 유로가 될 것이다.

마드리드에 있다 빌바오에 와보니 인구밀도가 엄청나게 낮아진 것이 체감된다. 마드리드가 스페인 내에서 엄청나게 북적이는 동네가 아닌데도 빌바오는 길에 개미 새끼 한 마리 보이지 않는다. 모두 출근한 날이라 쳐도 점심은 먹거나 외근은 할 것 아닌가. 그런데 내가 돌아보는 중에는 겨우 두, 세 명 보았을 따름이다. 빌바오가 베드타운이라 사람들이 전부 다른 도시 일터로 출근한 것이지도 모르겠다. 강변을 산책하며 '하얀 다리' 주비주리(Zubizuri) 다리를 둘러보고, 기차역에 가서 내일 이동할 사라고사행 열차표를 끊었다. 아반도

(Abando) 기차역 출입구의 스테인드글라스가 웬만한 대성당 못지않다. 한쪽 벽면 윗부분 전체를 덮고 있는 유리창에는 유유히 흘러가는 네르비온(Nervion) 강 옆에서 성실근면하게 철광석을 캐고 제련하여 도시를 부강하게 만든 시민들과 아름답게 가꾸어진 도시의 모습이 웅장하고 화려하게 묘사되어 있다. 중세시대 신의 영광을 찬양하던 스테인드글라스는 이제 도시의 성공적인 산업화와 발전을 축하하고 시민들의 가슴 속에 자부심을 심어주는 역할로 변모하였다. 자판기에서는 내 신용카드가 인식되지 않아 창구로 갔는데, 머리가 하얗게 센 할아버지 직원께서 모니터를 돌려 보여주시며 친절하게 설명해 주셨다. 머리로 봐서는 나이가 많은 것 같았는데, 영어도 원활히 사용하시고 아직까지 직원으로 근무하시는 거 보면 그냥 새치가 많이 나신 것도 같고, 알쏭달쏭 했다. 트램을 타고 구시가지로 이동했다. 빌바오의 트램은 귀여운 애벌레 같다. 초록색 옷을 입고 모난 곳 하나 없는 동글동글한 트램인데, 길이도 짧고 잔디 위로 난 레일을 돌돌돌 굴러가는 것을 보면 영락없이 애벌레다. 재미있게도 이곳 버스는 트램의 보색인 빨간 색이다.

네르비온 강을 기준으로 기차역이 있는 서쪽이 신시가지, 동쪽이 구시가지이다. 트램으로 강을 건너가며 보니 그다지 폭이 넓지 않은 강에 그 강변을 따라 늘어선 주택들이 비슷한 높이, 비슷한 형태에 은은하고 조화로운 색상으로 열을 이루고 있다. 시에서 의도적으로 꾸민 것인지 사람들이 자연스럽게 만든 것인지 모르겠지만 지금까지 본 중 가장 심적으로 안정을 주는 강변 풍경이다. 강변의 건물들뿐만 아니라 빌바오는 전반적으로 비슷한 규격의 건물들에 파스텔톤의 은은하고 발랄한 색감의 칠을 많이 해놔서 도시 자체가 영화 세트장 같다. 생활가전들도 아이보리색을 입고 나오던 60, 70년대 미국의 잘 정리된 중산층 주택가 같은 느낌이다. 앞쪽 건물과 마주 본 발코니마다 내어놓은 작은 화분들에는 제라늄인지 버베나인지 색색 예쁜 꽃들이 얼굴을 마주하고 있다. 편안한 동네다. 지역총생산이 얼마인지, 가구당 소득이 얼마인지를 떠나서 강인한 전통이 살아 내려오고, 사람들이 그 전통을 사랑하고, 삶과 일상을 사랑하는 도시라는 것이 느껴진다. 행복이 생활이, 습관이 된 도시이다.

리베라 정류장에 내려 리베라 시장을 보았다. 정문을

잘못 찾은 건지 안에 들어가 보지 못했다. 그리스 신전 같은 기둥 사이에는 유리를 배치하고 건물 전체적으로 철재로 마감한 모습이 철강산업 산지임을 자랑하는 듯했다. 강 건너편 색색의 건물을 반사하는 유리창이 몽환적이고 아름다운 장면을 연출한다. 구시가지 안쪽으로 들어가니 중후한 '빌바오 산티아고 성당(Catedral de Santiago)'이 맞아준다. 빌바오는 산티아고 순례길 북부 루트가 시작하는 곳이기 때문에 순례자들도 이 성당에 많이 들른다고 한다. 성당이 헌정된 성인도 마침 산티아고, 야고보라니 우연인지 필연인지 모르겠다. 거대한 규모도 아니고 화려한 장식이 있는 것도 아니지만 밋밋한 사각 파사드에 균형 잡힌 첨탑, 단정하고 소박한 본당의 모습이 번뇌를 내려놓고 정신을 정화하기에 안성맞춤이다. 구시가지는 골목골목 아기자기 예쁜 곳이 많다. 벽에 붙은 표지판이 예뻐 사진을 찍고 있었더니, 지나가던 아저씨가 "뭘 찍었니(What photo)?" 하고 궁금해하길래 보여주었다. "별로네(Not good)." 하고 지나가 버린다. 이놈의 스페인놈들은 사진에 악감정 있나. 내 사진만 보면 욕 나올 행동을 하네. 주둥이를 꿰매버릴까 보다.

빌바오는 모든 것이 마드리드와 다르다. 이 나라도 지역차가 있는지 모르겠지만, 아직 스페인 도시라고는 두 곳 밖에 못 봐서 확실하지 않다. 기차역도 렌페가 다니는지 모를 정도로 색다르고, 도로표지판, 건물 등도 마드리드와 전혀 다른 디자인으로 확연히 다른 느낌이다. 지방자치제가 시행되는지, 사회시스템 자체가 다른 것인지 모르겠다. 구시가지라 그런지 곳곳에 바스크 깃발이 걸려있다. 아일랜드 펍에도 클로버 깃발과 바스크 깃발을 같이 걸어놨다. 분리주의자들이 가게마다 돌아다니면서 행패를 부리는 것도 아닐텐데 말이다. 진심에서 나오는 애정인가보다. 구시가지를 돌아다니니 아까 신시가지에서 사람 없다고 의아하던 게 해소됐다. 다들 여기 있었다. 정나미 없는 그쪽보다는 이쪽이 낫겠지.

산마메스(San Mames) 축구장으로 향했다. 오늘 경기를 알아보지는 않았지만, 산티아고 베르나베우의 경험에 비추어 축구장을 한번 구경해보고 싶었다. 원래 산마메스 구장은 1913년 최초로 건립했고, 1982년 월드컵에 대비하여 4만 5천명을 수용하는 현대식 구장으로 리모델링했다. 그러던 것을 2010년부터 신 구장을 아예 새롭게 건립했는데, 특이하게 기존 구장에 겹치는 위치로 선정한 탓에 신 구장 건립과 구 구장 철거가 동시에 이루어지고 있었다. 그 2트랙 공사가 아직 끝나지 않은 탓에 축구장 한편에는 공사자재들이 수북이 쌓여있었다. 완공은 아직 되지 않았지만 다 지어진 부분만으로도 충분히 웅장함을 느낄 수 있었다. 구장 외벽에 강철 패널들을 세로로 이어붙여 비늘 같기고 하고 닻 같기도 하게 장식을 해놓았는데 강인한 철강도시의 면모가 돋보였다.

사람들은 공사에 개의치 않고 옹기종기 웅성웅성 줄을 서 있었다. 레플리카를 입은 사람들이 많았다. 경기장 앞 공터는 야시장이 열렸다. 맥주 가판대가 가장 인기가 많고, 이런저런 꼬치구이, 안주도 불티나게 잘 팔린다. 축구복, 타올 등 경기 기념품 가게도 간간이 손님을 맞는다. 축구 팬들의 열기는 대도시든 소도시든, 팀이 수위에 있든 하위에 있든 차이가 없어 보인다. 어쩌면 그깟 공놀이 따위는 별로 중요하지 않을 수도 있다. 어차피 마실 맥주인데, 펍에서 마시나 축구장에서 마시나 별 차이 없지 않을까. 맥주도 마시고 동네사람들도 보고 겸사겸사 마실 나온 것일 수도 있다. 중앙과 완전히 다른 문화를 가진, 타지역을 배척하는 지역이라면 축구나 다른 경기보다도 그냥 이렇게 모이는 것만으로 얼마나 신나겠는가. 아버지든 아들이든 잔소리 없이 술을 마실 수 있는 축제 말이다. 그나저나 지난번 마드리드도 그렇고 이곳 빌바오도 그렇고 이 나라는 축구경기가 있는 날에 항상 이렇게 경찰이 대거 동원되는 것인가. 더구나 시간으로 치면 야간 초과근무인데 수당은 주는지. 경찰들이 자발적으로 자원봉사 한다고 하면 제복을 입는 것이 가능한지. 비용이 문제 된다면 아마도 관람료에 다 반영되어 있겠지. 알쏭달쏭 궁금증을 남긴 채 축구장을 떠났다.

지금도 그런지는 모르겠지만 '아틀레틱 빌바오(Atletic Bilbao)', 혹은 아틀레틱은 대대로 바스크 출신 선수들만을 기용한단다. 동네 축구 전력으로 레알 마드리드와 FC 바르셀로나가 주름잡는 라리가에서 어떻게 생존하고 있는지는 모르겠지만, 의외로 꾸준히 상위권에서 논단다. 레알 마드리드, FC 바르셀로나와 더불어 스페인 축구리그에서 단 한 번도 강등당하지 않았다고 하면 설명이 되려나. 어쩌면 축구도 잘하고 못하고는 종이 한 장 차이인가보다. 그런데 축구단 이름을 그냥 '아틀레틱 클럽(Athletic Club)'이라고만 하는 것은 무슨 자신감인지. 아틀레틱은 그냥 운동선수들이라는 뜻이잖은가. 스페인어 아틀레티코(Atletico)만 안 쓰면 다 바스크인 줄 알거라 생각하나. 산마메스 스타디움은 사실 축구보다 바스크 민속놀이장으로 더 유명하다는데, 이 고장의 민속놀이라는 것은 기본적으로 먼 옛날 힘센 남자들의 힘겨루기인 것으로 돌 들기, 통나무 빨리 썰기, 도끼로 나무 쪼개기 등이란다. 이건 뭐 우리 씨름하는 것이랑 똑같구먼.

DAY 4 사라고사

젊은이여 광장으로

오늘은 중부의 사라고사를 경유하여 바르셀로나까지 간다. 이른 새벽 6시 30분 열차다. 빌바오 기차역 대합실에서 대기하고 있다가 사람들이 승차장 쪽으로 모여드는 것을 보고 따라가서 섰는데 표 검사를 하고도 10분이나 우두커니 서 있었다. 괜히 일찍 일어나서 나왔다. 한국인의 성질머리는 사는데 참 불편하다. 이곳 빌바오에서는 마드리드처럼 수하물 검사를 따로 하지 않는다. 엑스레이 통과 없이 그냥 바로 탑승했다. 11시경 사라고사 델리차스(Zaragoza Delicias) 역에 도착했다.

지금까지 다닌 기차역 중 가장 현대식이고 초현실적이라고나 할까. 거대하고 단조로운 입방체 건물은 사람이 건축한 것이 아니라 외계인이 내려놓고 간 물건 같다. 내부는 중정같이 가운데가 승차장부터 천장까지 뻥 뚫려 있어 층고가 어마어마하게 느껴지고 시원하다.

지하가 승차장이고 G층에 대합실과 사무실이 있다. 열차에서 내려 바로 앞에 있는 직원에게 물품보관소가 어디 있냐, 물으니 G층으로 올라가란다. 무빙워크를 타고 올라가고 있는데 다른 역무원이 내려오면서 뜬금없이 표를 보여달라길래 보여주었다. “이건 지금 도착한 표잖아요.” “저 방금 도착했는데요.” “그런데 왜 안 나가세요?” “물품보관소 찾고 있어요.” “G층으로 가세요.” “감사합니다.” 이상한 사람인 줄 알았는데 친절한 사람이었네. G층에 보니 가방 그림 옆에 ‘Consigna’라고 써져 있다. 영어로는 luggage deposit인데 서어로는 consigna 한 단어구먼. 그런데 문이 잠겨있고 부재시 벨을 누르라고 되어 있다. 벨을 누르면 사람이 오나, 하고 눌러봤더니 진짜 직원이 왔다. 3유로라길래 지폐를 꺼내줬더니, “No billet.”이라길래 표는 필요 없다는 말인가? 했는데, 지폐가 아니라 동전으로 달란다. 혹시 동전을 받아 2유로는 자기들이 먹고 1유로는 락커에 넣어주는 건가, 하는 의심이 들었지만 어쨌든 다행히 동전이 있어 계산했다.

열차안내센터에 가서 버스정류장이 어디에 있는지 물었더니, 같은 층 반대편에 관광안내센터로 가서 물으란다. 아니, 자기들은 버스 타고 출근 안 하나. 그냥 자기 버스 내리는 지점만 알려주면 될 텐데 꼭 정식절차를 밟으라고 한다. 외지인에게 함부로 정보를 제공해서는 안 된다는 조례라도 있는 것인가. 이 동네는 은근 공산주의 성향이 있다. 다시 관광안내센터에 가보니 예쁜 사진도 많고 깨끗한 화장실도 있다. 여기로 이끌어준 열차안내센터에 미안하고도 고마운 생각이 들었다. 안내직원에게 버스 일일권을 파는지 물었더니, 여기서는 팔지 않고 이쪽 출구 바로 앞 정류장에서 34번 버스를 타고 시내버스회사에 가서 정액권을 사란다. 역시 관광안내소가 존재하는 이유가 있었다. 고마운 사람들이다.

버스를 타고 시내로 나와 알폰소(Alfonso) 도로에 섰다. 소로 양옆에는 갖가지 상점들이 오밀조밀 늘어서 있고, 규모는 작지만, 명동 분위기를 연상시킨다. 도로 저 끝에 '필라 성모 대성당(Basilica Nuestra Senora del Pilar)'이 돔을 쓴 얼굴을 빼꼼 내밀고 있다. 거대한 성당 규모에 비하면 빼꼼 내민 얼굴은 귀여울 따름이다. 하지만 필라 대성당의 메인은 돔이 아니다. '필라(기둥,

pilar)'의 뜻처럼 성당 네귀퉁이에 우뚝 서 있는 견고한 탑들은 성당의 윤곽을 명확히 드러냄과 동시에 균형 잡힌 안정감을 준다. 물론 그 탑들이 그 '기둥'을 의미하는 것은 아니다. 성 야고보의 전설에 나오는 '기둥'이다.

콘스탄티누스 칙령 이전에도 스페인에는 기독교가 이미 우세하였다. 예수 부활 이후 제자들은 제국 곳곳으로 전도여행을 떠났고, 이베리아반도에 도착한 인물은 대 야고보였다. 대 야고보는 사라고사에 도착해서 에브로(Ebro) 강가에서 기도를 하고 있었다. 여독으로 인한 고통, 그럼에도 멈출 수 없는 전도의 열정 등 몸과 마음을 깨끗이 가다듬고 있을 때, 성모마리아께서 옥으로 된 기둥을 주시며 이 기둥을 가운데 놓고 성당을 지으세요, 했단다. 그리하여 대 야고보는 말 그대로 옥기둥을 심고 그곳에 성당을 지었고, 그 옥기둥은 현재 본당 내부에 모셔져 있다. 그리고 이 성모 발현 전설은 성당 정면에 대리석으로 조각되어 있다. 17세기 성당은 바로크 양식으로 개축되었고, 18세기 증축되어 현재에 이른다.

대성당의 외관은 독특하다. 네 귀퉁이의 종탑은 뾰족하게 하늘로 뻗치는 고딕식 첨탑이 아닌 네오 무데하르 양식의 사각기둥 탑으로 19세기에 와서 덧붙여진 것이다. 옥상 작은 돔지붕은 파란색, 노란색 등 색색의 기와로 다이아몬드 무늬가 그려져 있다. 비엔나 슈테판 성당처럼 북국에서 주로 보이는 타일 장식인 듯한데, 이곳은 아랍 분위기로 좀 더 이국적이고 이색적이다. 광장을 면하고 있는 앞쪽은 말 그대로 광활한데, 측면이 이보다 좁을 것 같아 보통 전면이 좁고 측면이 긴 성당의 일반적인 형태와 다른 것 같다. 전체적으로 얼핏 보면 궁전 같기도 하고, 박물관 같기도 하다.

본당 내부에는 십자가의 날개, 익랑이 없고 제단 뒤쪽에 성상과 성화를 모아놓은 방들이 원형으로 둘러앉은 구조가 세고비아 성당과 비슷하다. 천장 프레스코화 <순교자들의 여왕(Regina Martyrum)>는 고야의 작품이다. 고야의 가족은 어린 시절 사라고사로 이사왔다. 이곳에서 고야는 처음으로 미술 교육을 받고, 이탈리아에서 미술 유학을 받은 다음 다시 사라고사로 돌아와 대성당의 전속화가로 일했다. 스페인 내전 시기이 성당에 폭탄이 투하되었는데, 기적이었는지 불발탄이었는지 폭탄이 터지지 않았고 그 폭탄을 성당 안에 전시하고 있다. 불발탄인데 아직까지 전시하는 것은 위험한 것 아닌지. 아니면 정말 기적이려나.

필라 대성당 옆에는 '라세오(La Seo)'라는 애칭으로 불리는 산살바도르 대성당(La Seo del Salvador Catedral) 성당이 있다. 필라 대성당에 비하면 초라한 동네 성당 수준이지만, 이곳 라세오는 과거 아라곤 연합왕국의 왕들이 대대로 대관식을 했던 영험한 기운이 서린 곳이다. 필라 대성당과 라세오의 앞마당 필라 광장에는 고야의 동상이 있고, 주민들이 모두 나와 앉을 수 있을 만큼 넓다. 서양에서 민주주의가 발전할 수 있었던 배경에는 광장 문화의 발달이 있다고 하는데, 나는 광장의 필요성에 대해 깊이 생각해본 적이 없다. 오히려 광장을 조성하겠다는 뉴스를 들으면 오히려 반대하는 입장이었다. 전시행정, 금싸라기땅 낭비, 비효율성의 극치, 도시계획 이론가들의 음모라고 생각했었다. 그런데 이탈리아나 스페인에 와보니 광장이 있는 도심도 괜찮을 것 같다는 생각이 든다. 행사를 개최하기 위해 의도적이고 인공적으로 설립한 경기장이나 공원이 아니라, 말 그대로 사위가 건물들로 둘러싸여 누구도 계획하지 않고 의도하지 않는 도심 한가운데 텅 비어있는 공간. 오로지 사람들의 자유의지에 따라 이것도 했다가 저것도 할 수 있는 장소. 비움의 미학, 공백의 여유, 아무것이나 해도 괜찮은 곳, 만일에의 대비. 광장은 공개적이고 확장적인 공간이 아니다. 오히려 사방이 건물로 막혀 있어 뻥 뚫려 시원하다는 느낌보다는 우리라는 공동체의 느낌이 더 강화된다. 골목을 타고 이곳으로 유입되어야 동네사람들과 비로소 한곳에 모여 마음을 나눌 수 있다. 광장을 가로막은 건물 뒤에서는 공동체 의식을 느낄 수 없다.

어쩌면 한국인들도 폐쇄적인 광장을 좋아하는 것 같다. 2002년 월드컵 때 우리는 광활하고 광대한 여의도 광장을 놔두고, 기어코 굳이 세종대로를 막고 시청광장 경계를 넘어 거리응원전을 했었다. 동서남북이 도로로 뻥 뚫려 진짜 광장인지 아니면 그냥 허허벌판인지 모르겠는 여의도 보다는, 건물 저쪽에서는 안 보이는 이쪽이 궁금한데 이쪽에 있는 우리끼리는 재밌어 죽는 그런 도심 속 광장이 도파민 상승시키는 데에는 더 적합할지도 모르겠다. 광장은 늙은이보다는 젊은이에게 어울리는 공간이다. 노인들은 뒷골목 차양 밑 테이블에서 신문이나 읽으며 커피나 마시는 것이 어울린다. 광장은 치기 어린 젊은이들이 망아지처럼 달리고 자기들만의 신호를 나누고 구르는 데 적합하다.

대성당 앞쪽 골목에 '라 쿠르 구르망(La Cure Gourmande)'라는 군것질 상점이 있다. 개나리빛 노란색으로 칠해진 간판과 내부 인테리어는 60, 70년대식 레트로 디자인을 상기시키며 이 거리의 터줏대감처럼 신기함과 편안함을 동시에 전달한다. 쿠키 역시 군침 돌게 하는 노란색 양철상자에, 눈깔사탕은 수북이 쌓여있고, 판형 초콜릿은 복고풍의 포장지를 뽐내며 종류별로 모으기를 종용한다. 각기 다른 그림이 그려져 있는 다양한 원통형 양철상자들도 수집 욕구를 부추긴다. 진열장 역시 할머니댁 찬장같이 단출한 무늬로 장식된 나무벽장이다. 약사같이 흰 가운을 입은 주인 할아버지가 인자한 표정을 지으며 젤리 고르는 아이를 기다리다가, 계산할 때 서비스로 사탕 한 두 알을 더 넣어주실 것 같다. 이런 곳에서는 퍼지를 먹어봐야 한다. 캐러멜보다는 좀 더 푸석거리고, 쿠키보다는 더 쫀득한 질감의 퍼지를 한입 가득 베어 물으면 묵직하게 들어있던 초콜릿맛, 캐러멜맛 등 갖가지 맛이 펑 하고 터지면서 입안 전체를 달콤하게 칠한다. 그 진하고도 끈적끈적한 맛을 한동안 머금고 있으면 언제 어디서라도 10살 옛날로 돌아갈 수 있다.

필라 대성당 자체를 멋있게 볼 수 있도록 필라 다리를 타고 에브로 강을 건넜다. 3개로 나뉘어 가운데로는 사람들이, 양 끝쪽으로는 차들이 지나다니는 특이한 방식이다. 성당 쪽은 구시가지이고, 강 건너편은 주거지역인데 반포동 같은 구형 아파트들이다. 건너편에서 보니 성당이 더욱 웅장하다.

버스를 타고 '알하페리아(Aljaferia)'에 갔다. 먼 옛날 이슬람 세력이 이곳을 점령했을 때 지었던 요새이자, 아라곤 왕국의 왕궁이었다. 2시 30분경 궁전에 도착했는데, 아뿔싸, 2시부터 4시까지 휴관이다. 씨에스타(오침, Siesta)는 들어만 봤지 실제로 겪어보는 것은 처음이다. 하긴 이 날씨에 돌아다니는 내가 제정신이 아니다. 현지인들이 다들 집안에 틀어박혀 있는 데에는 이유가 있다. 하는 수 없어 정처 없이 걷다가 4시 딱 맞춰 궁전에 입장했다. 그라나다, 세비야 등의 안달루시아 지방의 궁전들보다는 크지 않은 규모이되, 겉으로 보기에는 해자로 둘러싸인 튼튼한 성채이다. 두터운 성벽 하며 활쏘기에 좋아 보이는 망루 하며, 난공불락의 성이다. 내부로 들어와 산타 이사벨(Sanat Isabel) 중정에 서니, 2층은 족히 되는 높이의 회랑 전체를 예의 이슬람 양식의 부조로 빼곡히 채웠다. 이슬람은 모양에 대한 숭배를 금지한 대신 심혈을 다한 복잡한 글씨로 신께 예의를 차렸다. 층을 받친 기둥 어느 하나 민둥한 것이 없다. 온 벽과 기둥에서 갖가지 꽃이 피고 글자가 살아난다. 이 아름다움과 이 정성은 시대가 아무리 지나고 사람이 아무리 바뀌어도 놀라지 않을 수 없다. 회랑을 따라 오렌지 나무를 주룩 심어놓았는데, 쨍한 초록빛 잎에 빼곡 나온 주황색 오렌지가 심하게 탐스러워 오히려 독을 품은 듯하다. 사라고사에는 레콩키스타 이후 아라곤 왕국이 자리 잡았고, 알하페리아는 1118년부터 1707년까지 600년간 아라곤을 통치하는 왕궁이 되었다. 알하페리아 왕궁에 입주한 알폰소 1세는 무데하르 양식의 궁전을 개축하지 않고 그대로 활용하였다. 알하페리아는 현재까지도 아라곤 주의회의 회의실이 있는 청사로 활용된다고 한다.

사라고사에서 저녁 8시 40분경 열차를 타고 바르셀로나에 내리니 밤 10시 40분이다. 미래에서 온 것 같은, 미래로 갈 것 같은 초고속열차였는데 탑승시간이 짧아서 아쉽다. 확실히 바닷가 도시라 그런지 밤공기가 차다.

멀어진 마음은 다시 잇기 힘든데

바르셀로나에서 가까운 성지 몬세라트(Monserrat) 수도원에 다녀오기로 했다. 산츠(Sants) 지하철역에서 교통권 2일권(14유로)을 끊었다. 에스파냐(Espana) 역에서 국철(FGC)로 갈아타고, 몬세라트 산악열차와 푸니쿨라를 타야 한다. 처음에는 국철과 산악열차, 푸니쿨라를 한 세트로 생각해서 몬세라트 통합권(27.5유로)을 끊었는데, 나중에 생각해보니 교통권으로 국철까지 이용할 수 있으면 산악열차와 푸니쿨라 표만 끊을 것을 잘못했다. 국철 R5선 만레사(Manresa) 역에 내려서 산악열차를 타고 몬세라트에 도착한 후 산후안 푸니쿨라(Sant Juan Funicular)로 갈아타고 수도원이 있는 산등성이까지 올라갔다. 정류장에 내리면 작은 산책로가 있는데 따라가면 전망대가 있단다. 가는 길이 숲길 등산로가 아니고 그냥 먼지 날리는 돌산 길이다. 전망대까지 가지 않더라도 가는 길에 보이는 전경이 아주 멋있다. 험준한 산세는 아니지만, 나무가 별로 없는 돌산의 척박한 골격이 성스러움을 배가하는 것도 같고, 이국적 혹은 다른 행성의 느낌을 주기도 한다. 가던 길을 돌아와 몬세라트 수도원으로 향했다. 오후 1시에 성가대 공연이 있고 그 전부터 사람들이 붐빌 테니 적어도 12시까지는 수도원에 도착해야 했다. 12시경 수도원 성당에 도착했더니 이미 발 디딜 틈 없이 인산인해다. 앉기는커녕 지옥철을 방불케 하는 인파다. 아무리 유명하다지만 이 정도로? 바르셀로나에도 이 정도 인파는 없었던 것 같은데 저 합창을 들으려고 이 산중 수도원까지? 혹은 검은 성모상을 보러? 하는 생각에 놀라움을 금치 못했다.

몬세라트는 원래 먼 옛날 로마인들이 비너스 신전을 건립한 곳이었다. 그러다가 880년경 성모상이 발견되었는데, 이를 기념하여 처음에는 4개의 예배당(성모마리아, 산이스클레, 산페레, 산마르티)이 설립되었다가, 13세기경 로마네스크 양식의 큰 성당을 설립하였다. 몬세라트 성당은 19세기 나폴레옹으로 인해 화재가 발생했고 수도원은 약탈당했다. 스페인 내전 동안 여타 바르셀로나 시설들처럼 수도원도 압제를 견뎌야 했고 22명의 수도자도 희생되었다. 프랑코 독재정권 동안에는 수도원을 성역으로 여기고 도망쳐온 반정부 세력이 은거하는 곳이 되었고, 수도원은 카탈루냐 민족주의의 상징이 되었다.

카탈루냐 독립을 요구하는 목소리는 어제오늘의 일이 아니다. 12세기 아라곤 왕국과 연합한 카탈루냐는 발달된 바르셀로나 항구를 바탕으로 해상무역을 통해 부국으로 성장하고 있었다. 15세기 아라곤과 카스티야가 병합했을 때도 카탈루냐는 자치권을 인정받기도 했고, 중앙에 대하여 그렇게까지 반감은 없었다. 그러나 불편한 공생은 결국 불화로 이어지기 마련이고, 카탈루냐의 자치권에 대한 지속적인 열망은 언젠가 발생할 전화의 씨앗이었다. 17세기 압스부르고 왕조와 보르본 왕조간 스페인 왕위계승전쟁이 발발했을 때, 카탈루냐는 돌이킬 수 없는 선택을 했다. 카탈루냐는 자치권을 약속한 압스부르고 왕실을 지지했으나, 결국 스페인은 보르본의 차지가 되었고 새로운 왕은 배신자들을 가만히 두지 않았다. 펠리페 5세는 카탈루냐의 자치기구를 폐지하고, 언어와 학문을 말살하고, 바르셀로나인들의 정든 터 리베라(Ribera)를 허물고, 도시를 요새로 두르고 시민들을 감시했다. 바르셀로나는 독립 요구의 대가를 고통스럽게 치렀지만, 여전히 독립에의 갈망은 사그라들지 않는다. 한번 금 간 그릇을 억지로 이어붙인다 해서 옛날과 같은 그릇이 아니듯이, 한번 틀어진 관계는 한쪽만 기분을 개선한다고 해서 해결되지 않는다.

몬세라트 대성당의 '에스콜라니아(Escolania)' 소년합창단은 유럽에서 가장 오래된 소년합창단 중 하나이다. 원래 13세기 수도원 부속 성가대가 조직되었고, 14세기 음악학교를 설립한 이후 15세기에 몬세라트 수도원이 대수도원으로 승격되면서 성가대의 위상도 절정에 달하게 된다. 보통 세계 3대라고 하면 여러 조합이 있지만, 에스콜라니아 합창단과 함께 빈 합창단, 파리 나무십자가 합창단이 3대 소년합창단으로 꼽힌다. 사람들의 염원이 들리는지 미사는 후다닥 끝나고 서둘러 소년들이 나와 열을 맞춰 성가를 불렀다. 미성의 소년들이 부르는 성가는 감미롭고 우아하기가 말 그대로 천사들의 합창이라 할 만했다.

미사가 끝나고 '검은 성모상(La Moreneta, Black Madonna)'에 입을 맞추기 위해 줄이 길게 늘어섰다. 발견 당시 하늘에서 큰 빛이 내려오는 것을 보고 목동들이 따라가 보았더니 천사들이 노래하며 빛이 나는 동굴에 성모상이 있었다고 한다. 베네딕트 수도사들이 성모상을 몬세라트보다 번화한 만레사로 이동시키려고 했으나, 이상하게 성모상을 들 수가 없어 그것이 성모의 뜻임을 알고 이곳 몬세라트 자체에 예배당을 지었다. 1844년 교황 레오 12세는 이 검은 성모상을 카탈루냐 지방의 수호성인으로 지정했다. 카탈루냐 지방의 수호성인은 산타마리아와 산호르헤(Sant Jordi/St. George)이다. 에스콜라니아 합창단의 성가는 검은 성모상을 기려 "4월의 로사, 산으로부터 검은 피부를 받은 여인"이라는 노랫말로 시작한다.

제단 뒤쪽 2층 발코니에 있는데, 그곳까지 가는 좁은 복도에 사람들이 빼곡히 가득 찼다. 다들 무슨 소원을 그리 비는지 입을 맞추기도 하고 손을 대기도 하고 성호경을 긋고 기도를 하며 다들 시간을 꽤 많이 잡아먹는다. 순서가 되어 다가가 보니 유리관 안에 반질반질한 검은 돌 얼굴에 황금 옷을 입은 성모의 무릎에 검은 아기 예수가 정면을 보고 앉아 있다. 사람은 다 검은색이고 옷은 다 황금색이다. 원래 사람도 황금색으로 만들었는데 색깔이 바랜 건지는 모르겠다. 성모마리아는 모자이크로 꼼꼼히 장식된 왕좌에 앉아 있다. 그 주변으로 카탈루냐와 몬세라트를 상징하는 은색 램프가 둘러 있고, 성모마리아의 머리 위에는 천사가 날아다닌다. 성모는 오른손에 동그란 구체를 들고 있고, 아기 예수는 오른손 세 손가락을 펴고 왼손에는 과일을 들고 있다. 그리스도가 내려왔던 세상과 그리스도의 희생, 그리고 삼위일체를 상징하는 것일게다. 유리관에 구멍이 뚫려 성모의 손에 든 구체를 만질 수 있게 해놨는데, 그래서 그런지 구체가 색깔이 바래 있다. 막상 성모상을 대면했는데, 구체에 입을 맞추기에는 좀 껄끄럽다. 성상이 성스러운 것은 알겠는데, 사실은 지구상의 물질로 된 물체이지 않나. 아무리 성수가 죄를 씻고 병을 물리쳐도 사실은 소금물이듯이, 성상이 어떤 효능을 지녔는지는 과학적인 설명이 있어야 할 것 같은데, 그걸 모르니 답답하기도 하고 의구심도 들어서 그냥 손으로 가만히 만지고 소원을 빌었다. '원하는 바가 이루어졌으니, 일어나 가보아라.' 하는 소리가 들리는 것도 같고, 알 수 없는 눈이 나를 지켜보는 것도 같고, 아무튼 느낌이 묘해서 길게 있지 못하고 나왔다. 사람이 이렇게 한낱 물체 앞에서 꺼림칙한 느낌이 드는 것을 보면, 신 앞에서 당당하거나 거짓말을 하기란 참 쉽지 않은 일이다. 30, 40분은 기다렸던 것 같은데, 기도한 시간은 30, 40초밖에 되지 않아 시간이 좀 아까운 것도 같은데, 막상 내가 체감한 느낌으로 따지자니 그렇게 아까울 것까지는 없는 것 같다.

검은 성모상의 기원에 대하여 예루살렘에서 제작되어 몬세라트로 왔다는 전설이 있었는데, 사실 분석해보니 12세기 로마네스크 양식의 나무 조각상이란다. 검은 성모상은 몬세라트에만 있는 것은 아니고, 오히려 프랑스에 퓌엉블레이(Puy-en-Velay) 등 300여 곳이나 있다. 성모마리아의 상징색은 푸른색이고, 정결, 순수의 의미로 생각해도 흰색으로 제작하는 것이 자연스러운 일인데, 왜 굳이 검은색으로 만들었는지 의아하다. 일설에는 검은 성모마리아가 이집트에서 기원했다고 한다. 고대부터 북부 이집트에서는 '어머니 여신'에 대한 숭배가 이어져 내려왔다. 아프리카에 진격한 로마군은 이 문화를 로마 본토로 수입해왔고, 갈리아 등 로마 속주들로 퍼져나갔다. 호루스에게 젖을 먹이는 이시스 여신과 예수그리스도를 안고 있는 성모마리아는 유사한 이미지이다. 또 다른 설은 반대로 기독교인들이 이슬람에게 전도할 때 아랍과 아프리카 지방에 익숙한 얼굴로 만드느라 성모상을 검게 제작했다는 것이다. 성경에서도 동방박사 중 발타사르(Baltasar)가 흑인인 것처럼, 검은 성모마리아가 유색인종에게 친근하게 다가갈 수 있다는 전략이었을 것이다. 혹은 중세 어느 시기에 검은 성모상의 힙함이 널리 퍼져 유행이 되었거나, 이미 제작된 성모상을 검은 색으로 칠하는 유행이 퍼졌을 수도 있다. 다만 몬세라트의 성모상을 분석해보니 검은 나무를 사용하거나, 의도적으로 색칠된 것이 아니고 시간이 지나서 자연스럽게 검어진 경우라고 한다.

바르셀로나로 돌아와 시내를 구경하며 돌아다녔다. 한 손에 아포가토를 들고 가우디의 '카사 바트요(Casa Batllo)'와 '카사 구엘(Casa Guell)', 요셉 푸이그(Josep Puig i Cadafalch)의 '아마예트 저택(Fundacio Amatller)'를 둘러보며 돌아다녔다. 해가 질 때쯤 석양을 보러 드라사네스(Drassanes)로 가서 항구에서 거닐었다. 콜롬버스 기념탑을 지나 해변에 조성된 인공해주를 따라 걸으면 해변상점가와 요트클럽이 나온다. 네온사인이 밝게 빛나고 식당가와 쇼핑몰이 환하다. 사실 콜롬버스는 바르셀로나와 아무 관련이 없는데 콜롬버스를 왜 기념하는지는 모르겠다.

크리스토포르 콜롬보(Cristoforo Colombo)는 1451년 이탈리아 제노바에서 출생하였다. 항구도시에서 태어나 항해와 관련된 일을 하다가 선장의 사위로 들어갔다고 하니, 바다에 관련해 일생을 바치기로 작정하였던 것도 같다. '지구평평설'이 널리 퍼진 지금과 다르게 그 당시에는 지구는 둥글다는 인식이 널리 받아들여졌는지, 지중해에서 서쪽으로 가면 인도가 나온다는 계산에 도달한 것이 대단하다. 물론 엄밀히 말해 그 계산이 맞지는 않았지만 말이다. 계산을 마친 콜롬보는 포르투갈 왕국의 주앙(Juan) 2세에게 대서양을 횡단하겠다는 사업계획서를 제출하였지만, 아프리카 희망봉이라는 보장된 해로를 탐색하던 주앙 2세는 그의 계획을 탈락시킨다. 물론 한 번의 항해로 어떤 일이 일어날지는 알 수 없지만, 만약 주앙 2세가 아메리카를 처음 발견해서 포르투갈이 아메리카의 주인이 되었다면 현재는 어떻게 바뀔지 궁금하다. 콜롬보의 대서양 횡단 계획은 당시 카스티야의 이사벨 여왕이 듣기에도 터무니없었는지, 단번에 승인을 받지는 못했다. 하지만 확신과 의지를 갖고 끈질기게 스페인, 영국, 포르투갈, 프랑스의 문을 두드린 콜롬보는 결국 1486년, 스페인의 승인을 획득한다. 이사벨 여왕은 콜롬보에게 발견한 토지의 통치자 직위와 현지 산물의 일부에 대한 소유권을 보장하고 자금과 선박 등을 지원하여 1492년 출항시켰고, 콜롬보는 성공적으로 현재 바하마 제도에 도착하여 어용도시 히스파니올라(現 아이티)를 수립하였다. 문자 그대로 금의환향한 콜롬보의 첫 출항이 성공적이었다는 소식이 퍼지면서 신세계의 금맥을 좇아 인생역전을 노리는 지원자들이 속출하였다. 그러나 실상 콜롬보가 발견했던 중앙아메리카에서의 금 생산량은 기대치에 못 미치는 수준이어서 사람들의 원성이 높아졌고, 게다가 속지 히스파니올라에서 발생한 반란으로 인해 3차 원정 중 본국으로 송환 당하기에 이른다. 포르투갈 바스쿠 다 가마(Vasco da Gama)의 희망봉 돌파 성공을 질투하여, 1502년 4차 원정을 떠나 자신의 기록 중 가장 먼 온두라스와 파나마까지 이르는 항해를 펼쳤으나 스페인에서의 그의 지위는 지속적으로 하락하였고 결국

식민지의 영토도 생산물도 세습시키지 못한 채 사망한다. 공식역사에서 콜롬보는 위대한 탐험가로 인식될지는 모르겠지만, 그 이면에는 신대륙 인구를 노예화, 학대, 살육하고 신대륙을 약탈했던 잔인하고 포악한 성정이 숨어있다. 아마 <캐리비안의 해적>에 나오는 '헥터 바르보사'나 '데비 존스'쯤의 진짜 모델이 아닐까 싶다. 콜롬보가 중앙아메리카가 아니라 북미, 현재의 미국으로 더 진출해서 스페인이 전 아메리카의 주인이 되었다면 역사는 어떻게 되었을지도 또 모를 일이다. 한편 실제 아메리카라는 이름의 주인인 아메리고 베스푸치(Amerigo Vespucci)는 이탈리아 피렌체 출신인데, 확실히 세계사에서 이탈리아와 영국 출신들이 빠지면 진도가 안 나갈 것 같다.

DAY 6 바르셀로나

위대한 나의 비참한 죽음을 알려라

본격적으로 바르셀로나 시내 관광을 하는 날이다. '사그라다 파밀리아 성당(성가정 성당, Basilica de la Sagrada Familia)' 입장권은 인터넷으로 미리 예매해 놓았다. 9시 입장이었는데, 8시 50분에 도착했더니 사람들이 벌써 100미터는 줄을 서 있다. 그나마 예매하지 않은 현장 매표 줄은 성당 블럭을 한 바퀴 돌 정도로 더 길다는 것을 위안으로 삼았다. 다행히 입장 검색은 복잡하지 않아 9시 10분쯤 입장했다.

사그라다 파밀리아 성당은 가우디가 고딕과 아르누보 양식을 조합하여 설계하고 1882년 착공하였다. 가우디는 1926년까지 성당 건립에 매진하다가 사망하였는데,

그때까지 성당은 동쪽 건물 일부, 공정률 25퍼센트로 남겨진 채였다. 보통 성당 건립은 초기 사업비로 북쪽 제단쪽부터 시작하여 제단에서 미사를 드리면서 헌금을 모으고 그 돈으로 나머지 사업비를 메꿔가며 건립하는 것이 수순인데, 사그라다 파밀리아는 그와는 전혀 다른 방식으로 건립되었다. 일설에 따르면, 헌금이 얼마가 모이든 말든 가우디는 제단부터 지을 의도가 없었단다. 가우디는 현대와 같은 방식의 도면 설계를 한 것이 아니라, 그때그때 모형을 이어붙여 나가면서 전체 건물을 구상해 나가는 방식으로 작업하였는데, 자신의 살아생전 이 성당을 완공하지 못할 것을 짐작했단다. 완벽한 설계도가 없는 상태에서, 자기 사후에 성당이 애초의 계획대로 지어지기를 원한다면 본보기가 될 모델을 완벽하게 만들어놓는 수밖에 없었던 것이다. 그리하여 가우디가 남기고 간 성당의 동편을 모델 삼아 성당의 서편까지 공사를 진행하고 있다. 공사비는 스페인 정부 또는 교황청으로부터 전혀 지원이 없이 순수하게 헌금과 관람료로 충당되고 있으며, 1950년대 스페인 남북전쟁 시기 중단된 것을 포함하여 현재까지 142년간 공사가 진행되고 있다. 가우디 서거 100주년이 되는 2026년 완공이라고 하니 총 공기는 144년이 될 것이다. 완공이 다 된다면 그리스도를 상징하는 가장 높은 탑이 가장 가운데 서며 그 높이는 172.5미터로 현재 161.5미터의 독일 울름(Ulm) 대성당보다 더 높은, 세계에서 가장 높은 성당이 될 것이다. 다만 바르셀로나의 몬주익 언덕 높이인 173미터에는 미치지 못하는데, 이는 신이 주신 자연보다 더 높은 성당을 지어서는 안된다는 가우디의 신념 때문이다.

2010년 완공되지도 않은 성당을 교황 베네딕토 16세가 축성하고 헌정함으로써 공식적으로 교회사에 등록되었다. 특이한 점은 이 성당은 최초 기독교에서 계획하여 지은 것이 아니라, 부유한 서점가에 의해 주도되었다는 것이다. 애초에 성당 건립을 계획하지도 주도하지도 않은 주제에, 돈 한 푼 거들지 않은 주제에, 아니 한 푼 정도는 들였을 수도 있지만, 교황청이 뭐 그리 급하다고 완공되지도 않은 성당에 대고 미리 헌정식을 하였는지 의아하다. 교황이 이벤트를 하나 열고 싶었었나. 이러면 정작 나중에 다 완공되었을 때는 무얼 하려고 그러는지. 공무원들이란 참 근시안적인 사람들이다.

사그라다 파밀리아가 유명한 이유는 여러가지가 있겠

지만, 독특한 외관을 빼놓을 수 없다. 원래 가우디 건축 자체가 자연에서 얻은 영감을 바탕으로 독특하고 신비로운 곡선으로 설계를 하는 것이지만, 사그라다 파밀리아는 완벽하게 자연의 이치를 이용했다. 기존 고딕 양식의 건물들은 직선으로 하늘을 찌르며 올라가기 때문에 옆쪽에서 플라잉버트레스(공중부벽, flying buttress)로 받쳐줘야 하는 숙명적인 불안정성을 갖는다. 가우디는 이를 타파하고자, 곡선으로 탑과 기둥을 구성하였다. 실을 걸어놓고 가운데 무거운 물체를 달았을 때 휘어지는 실의 모양, 즉 현수선(catenary)이 중력을 버티는 가장 자연스러운 힘이라고 상정하고 이를 뒤집어 건물에 적용하였다. 그리하여 성당의 모든 탑은 이 뒤집어진 현수선의 형태를 하고 있다. 인공의 기술과 노력으로는 결국 자연의 힘을 거스르지 못한다는 전제 하에, 자연에서는 자연스럽게 상승하는 힘이 있을 것이라 믿은 것이다. 성당 정 가운데 그리스도탑을 주변의 4명의 복음사가(루가, 요한, 마르코, 마태오) 탑들이 둘러싸고 있고, 그리스도탑의 뒤에는 꼭대기에 별을 품은 성모마리아탑이 들어선다. 성당 전체에는 사도들의 이름을 딴 종탑이 12개 들어선다.

성당의 북동쪽 면 '탄생의 파사드'가 가우디가 남겨 놓은 완성작이다. 성인과 천사들 부조로 벽감을 채워 넣는 고전 고딕방식의 성당 대신 가우디는 평범한 인물들을 모델로 한 조각으로 파사드를 장식한다. 거기를 돌아다니고 매일 보는 사람들, 남녀노소를 조각하여 채워 넣었다. 출입문 3개는 왼쪽부터 요셉의 '희망의 문', 그리스도의 '사랑의 문', 성모마리아의 '신앙의 문'이다. 종탑 4개는 사도 마티아스, 사도 유다 타대오, 사도 시몬, 사도 바르나바이다. 멀리서 보면 지저분한 돌들이 한데 모여 있는 고물상 같은데, 가까이 가보면 구유에 누운 아기 예수를 살펴보는 성모마리아와 요셉, 목동들과 동방박사 등 성경의 내용이 고스란히 들어있다. 아마 이런저런 기적을 일으키고 순교를 당한 성인, 복자들의 복잡한 이야기보다, 예수그리스도의 성스러운 생애를 순수하게 표현하는 것이야말로 사람들에게 기독교의 감동을 전해줄 수 있다고 생각한 듯하다. 가우디가 실제 어떤 계획과 구상으로 사그라다 파밀리아 건축을 추진했는지 정확히는 알 수 없지만, 탄생의 파사드에 남겨진 빼곡한 조각들은 성당에 대한 그의 열정과 진심을 충분히 반영하고 있다.

남서쪽 면 '수난의 파사드'는 가우디 사후 조셉 마리아 수비라치(Josep Maria Subirach)에 의해 완성되었다. 사람의 모습과 형태를 있는 그대로 재현했던 가우디와 달리 수비라치는 사람의 형태를 추상화시켜 로보트 같이 각지게 만들었다. 이 때문에 사실주의적인 가우디의 조각과 괴리가 생긴다. 탄생의 파사드는 벽면 자체도 복잡다단하게 조각하여 나뭇잎으로 둘러싸인 생명의 숲 같은 느낌을 주는 데 반해, 수난의 파사드에는 앙상한 골격만 남아 뼈가 굴러다니는 황량한 무덤, 황무지를 상징하는 듯 우울한 기운이 서려 있다. 어두컴컴한 그늘아래 십자가에 매달린 그리스도는 불쌍한 눈빛으로 인간들을 내려다보는 느낌이 든다. 4개의 종탑은 사도 소 야고보, 사도 바르톨로메오, 사도 토마스, 사도 필리포스를 상징한다.

그 반대편 남동쪽 면 '영광의 파사드'가 가장 마지막으로 작업하고 있는 면이다. 거대한 청동문에 여러 언어들로 구성된 주의 기도가 새겨져 있다. 한글로는 '오늘 우리에게 필요한 양식을 주옵소서'라고 써있다. 하필 또 밥 달라는 구절이라니, 한민족이 밥에 살고 밥에 죽는, 밥의 민족인 것을 아는 걸까. 4개의 종탑은 사도 안드레아스,

사도 베드로, 사도 바오로, 사도 대 야고보를 상징한다.

성당 내부에 들어서니 돌로 만든 자연이 눈 앞에 펼쳐진다. 의도적으로 정제되지 않게 조각한 벽면과 부조, 임의적인 듯하면서도 철저히 계획적으로 설계된 스테인드글라스와 그를 통해 들어오는 색색의 빛의 산란, 주랑 끄트머리의 천장에서부터 이어진 이국적 문양의 일산이 얹힌 십자가상은 감탄과 탄식을 동시에 자아낸다. 수십 미터 정도로 층고가 높은 거대한 공간을 구성하는 바닥과 천장, 벽면과 기둥은 아무 무늬 없는 흰색이자, 창문을 통해 들어오는 다양한 색광이 온전히 칠해지는 캔버스가 된다. 아무 장식이나 그림을 그리지 않아도 빛 자체가 물감이고 붓이다. 시시각각 변하는 빛은 숲이 되었다가 강이 되었다가 노을이 된다. 순간의 장면을 남기려 했던 인상주의 화가들이 이곳에 들어오면 환상과 희열에 놀라움을 금치 못할 것 같다. 일출의 빛이 들어오는 동편의 스테인드글라스는 파랑, 초록, 연두색 등 푸른 계열이고, 일몰의 빛이 들어오는 서편은 빨강, 주황, 노랑 등 붉은 계열이다. 스테인드글라스가 없더라도 실제 그 빛이 들어왔을 테지만, 스테인드글라스 덕분에 더 생생하고 신비로운 분위기가 느껴진다. 완전한 원형 또는 사각형이 아니라 홈이 있는 다각형 모양의 기둥에 산란된 빛이 비쳐 온 내부가 색깔로 물들 때면 숲에 와 있는 듯한 느낌이 든다. 관람을 마치고 기념품점에서 크루치아니 팔찌 사그라다 파밀리아 특별 에디션을 샀다. 스테인드글라스를 통해 수많은 색이 유입되었던 본당 내부의 모습처럼 팔찌도 다양한 색으로 그라데이션을 이루고 있다.

가우디는 스스로 예상했다시피 사그라다 파밀리아의 완공을 보지 못하고 죽었다. 그냥 죽은 것이 아니고 역사의 모순이자 비극이라 할 정도로, 초라하고 볼품없는 모습으로 어이없이 비참하게 죽었다. 안토니 가우디 이 코르네트(Antoni Gaudi i Cornet)는 원래 동판냄비를 만드는 주물장인 집안에서 1852년 태어났다. 어려서부터 숱하게 보아왔던 금속을 제련하고 다듬어서 물건으로 만드는 방식은 가우디가 건물을 설계할 때 주요하게 사용했던 모델링에 큰 영향을 미쳤을 것이다. 손으로 하는 기술에 익숙했던 가우디는 종이에 하는 설계나 논문, 기고 등 문서작업에 익숙하지 않았던 것 같다. 가우디는 어려서 류마티스를 앓아 다리를 거의 쓰지 못했고, 1살 위의 형 프란세스크가 가우디를 업고

다니거나 거의 수발을 들어주다시피 했다. 안타깝게도 프란세스크는 착하고 영리하여 의사가 되었으나 젊은 나이에 죽었고, 사랑하는 형의 요절이 그의 심경과 신앙에 어떤 영향을 미쳤을 수도 있다. 어쨌거나 청년이 된 가우디는 바르셀로나 건축학교에 입학하여 건축가로 입문했고, 1878년 당시 고가의 소재이던 타일을 전례 없이 풍부하게 활용하여 넘치는 색채로 창작한 카사 비센스(Cass Vicens) 건축으로 유명세를 타게 된다. 가우디는 파리 만국박람회에 출품한 진열장을 계기로 평생의 후원자인 에우세비오 구엘(Eusebio Guell) 백작과 연결되어, 1885년 카사 구엘, 1898년 구엘 공장내 예배당 1900년 구엘 공원 등 거의 구엘가의 전속 건축가로 창작한다. 사그라다 파밀리아와 구엘가의 작품 등으로 얻은 명성은 1904년 카사 바트요, 1905년 카사 밀라로 이어졌다. 바르셀로나에만 그의 작품이 있는 것은 아니고 몬세라트 성지, 팔마 대성당, 엘 카프리초 별장 등 스페인 곳곳에도 그의 작품이 남아있다. 가우디의 작품 중 7개가 유네스코 세계문화유산으로 지정되었다. 가우디가 죽기 직전까지 사그라다 파밀리아 건립에 매진했기에 성당 작업을 그의 말년에 시작한 것으로 오해하기 쉬운데, 실제 성당 작업을 개시한 것은 1883년으로 그가 다른 작품들을 의뢰받기 이전, 이미 젊을 때였다.

지금은 천상의 디자인으로 꼽히는 가우디이지만 당시 그의 디자인이 언제나 만인에게 칭송받는 것은 아니었다. 가우디가 '채석장(La Pedrera)'이라 부르고, 그로부터 영감을 받아 만든 카사 밀라는 파도치는 바다 또는 돌을 주물러 반죽해 놓은 것 같은 외관으로 인해 '파이', '격납고'라는 별명이 붙었다. 외부는 물론 내부까지 굽이치는 곡선으로 마감해 놓은 탓에 평범한 네모가구 한 점을 제대로 놔둘 수 없었던 건물은 분양조차 제대로 되지 않았다. 이러한 사고는 구엘 백작도 고스란히 겪었다. 원래 대규모 주거단지를 조성하여 분양사업을 하려던 구엘은 가우디가 만든 자유분방한 건물이 거의 분양되지 않은 탓에 자신과 가우디 단둘만을 위한 단독 성채를 조성한 꼴이 되었고, 이곳이 지금의 구엘 공원이다. 가우디의 각별한 신심은 당시 종교의 위세가 사그라들고 있던 스페인의 상황과 대치되었고, 건물마다 자꾸 신의 상징을 끼워 넣으려는 가우디의 고집으로 건축주들을 골머리를 앓아야 했다. 카사 밀라의 주인 밀라 부부는 결국 이 문제로 공사대금을 줄 수 없다며 가우디와 소송까지 가게 되었고, 결과는 가우디의 승리로 밀라는 대금을 주고 파산할 수밖에 없었다. 가우디의 작품은 예술적으로 높은 가치가 있었을지 모르겠지만 그 작품을 소유하기에는 너무 큰 도전을 받아들여야 했고 큰 대가를 치러야 했다.

말년에 사그라다 파밀리아 건립에 매진하며 그 안에서 숙식을 해결하고 피폐해져 가던 가우디는 1926년 저녁 미사를 보고 귀가하던 중 트램에 치였다. 피폐한 행색의 늙은 노숙자를 본 트램 기사는 노인을 길가에 치워놓고 그냥 가버렸다. 겨우 정신을 차려 병원에 가기 위해 택시를 불렀지만 연신 승차 거부를 당하고 4번째 만에 택시에 탄다. 어렵게 찾은 병원 2곳에서도 진료 거부를 당하고, 겨우 간 곳이 빈민 구제를 위한 자선병원이었다. 신원을 확인한 간호사들이 깜짝 놀라 지인들에게 연락했고 지인들은 가우디를 최고급 병원으로 옮기려고 했다. 이를 완강히 거부하며 가우디는 "내가 여기서 죽은 것을 널리 알려라. 행색이 빈곤하다 하여 거부하는 이들에게 가우디가 이렇게 죽었다고 알려라. 나는 가난한 사람들 곁에서 죽겠다."는 그리스도 같은 말을 남기고 사고 난지 3일 만에 사망하였다. 사그라다 파밀리아에서 장례식을 치르고 그곳에 매장되었다. 천하의 역적이 된 트램 기사와 승차 거부했던 택시 기사들, 진료 거부했던 병원들은 모두 손해 배상을 해야 했다. 위대한 영혼의 비극적인 운명의 이야기가 사그라다 파밀리아의 인기에 한몫 하고 있는 것 같다.

성당 뒤쪽 대각선 방향으로 올라가 '산파우 병원(Hospital de Sant Pau)'로 향했다. 1300년대 지독한 흑사병이 도시를 훑고 간 후 바르셀로나에서는 1401년 도시 내의 6개의 병원을 통합하여 대규모 종합병원으로서 산파우 병원을 개원한다. 당초 위치는 현재의 도시 중앙이 아니라 항구 인근이었으며, 크고 작은 증개축에 이어 19세기 대규모 리모델링을 하였다. 19세기 카탈루냐 출신 은행가 파우 질리 세라(Pau Gili Serra)의 후원에 힘입어, 현재 병원의 위치로 이전하게 된다. 당시 바르셀로나에는 가우디 말고도 루이스 도메네크 이 몬타네르(Lluis Domenech i Montaner)가 있었는데, 도메네크는 산파우 병원 외에도 카탈루냐 음악당(Palau de la Musica Orfeo Catala)도 설계하였다. 그는 우선 병원에서 정통으로 사그라다 파밀리아가 보이도록 각도를 조정하고, 네오고딕 양식과 카탈루냐식 모더니즘을 아르누보에 녹여내었다. 건물 자체는 로마네스크나 바로크양식을 차용하면서도 자연으로부터 받은 영감을 반영하고, 마감에도 나무와 물을 연상시키는 색색의 타일장식을 적극 활용했다. 일부 건물들은 버섯 또는 식물 같은 형태를 보인다. 건물들마다 단조로운 직선보다는 둥글고 복잡한 장식, 파스텔톤 또는 디자인 문양이 수놓아진 타일이 풍부하게 사용되었다. 내부에도 꽃과 이파리 등으로 장식해 놨다. 자연과 인공의 적절한 조화이다. 돌아다니는 사람 없이 고풍스럽게 꾸며진 병원 복도를 걸으면 1차 대전을 배경으로 하는 공포 혹은 미스테리 영화의 배경에 들어와 있는 느낌이 든다. 산파우 병원은 1978년 국가 기념물로 지정되었고, 1997년 유네스코 세계문화유산으로 등재되었다. 2009년 병원으로서의 역할은 끝내고 현재는 박물관, 도서관으로 사용되고 있다.

산파우 병원을 관람하던 중 몸살이 도졌다. 사그라다 파밀리아 관람 때부터 으슬으슬하면서 머리가 띵했는데 병원에 들어서면서 구토도 나고 해서 병원 강당 같은 곳의 의자에 앉아 기대 쉬고 있었다. 경비원이 와서 괜찮냐고 묻길래, 물을 한잔 가져다 달라고 했는데 물은 안 가져다 주고 또 다른 사람이 와서 돌아가며 괜찮냐고 묻길래, 늦어지는 것 같아 그냥 나왔다. 전 세계 모든 민족이 다 그렇겠지만 스페인 사람들의 성정을 한마디로 정의하기는 곤란하다. 여느 사람들은 새빨간 드레스, 플라멩코 음악과 춤, 빠르고도 높낮은 음가를 자유자재로 넘나드는 서어의 특성에 기인하여 스페인 사람들이 정열적이다, 흥분을 잘한다고도 하지만, 실제로 돌아다니며 보면 꽤 얌전하고 차분한 사람들 같다. 이 사람들도 피가 연결되어 있는지 은근 영국사람들과 비슷한 구석이 있어, 자기들끼리 쑥덕대는 것을 다른 사람들에게 보이지 않으려고 목소리를 낮추고 복화술을 하는 경향이 있다. 거리를 걷다 불의를 보거나 곤란에 처한 사람을 보면 발 벗고 나서서 무슨 일이냐 도와줄까 물어볼 것 같지만, 은근 개인주의적 경향으로서 힐끔힐끔 눈치만 보며 머뭇거리는 경우도 많다. 사람들마다 저마다의 성격이 다른 것은 물론이거니와, 스페인 할머니, 할아버지들도 내전과 학살, 독재를 경험한 세대라 물불 가리지 않고 앞에 나서는 성격은 별로 없을 것이라 추측한다. 내가 아픈 것을 별로 티 내지 않아서 그럴 수도 있지만, 여기저기 기대고 엎드리고 얼굴이 창백한 모습이었을 텐데 사람들이 구름처럼 달려와 둘러싸고 외지인이 어디 이상이 있는 것 아닌가 파헤쳐 보려는 사람은 별로 없다. 어쩌다 관심을 가진 사람들도 흘끔흘끔 지나가며 살펴보면서 내가 쓰러지나 안 쓰러지나 예의주시하는 것 같다. 그래도 아프다는 것이 일단 알려지면 다들 적극적으로 도와주기는 하는 것 같아 감사한 마음이 든다.

따뜻한 거리를 걸으니 다시 좀 괜찮아지는 것 같아 92번 버스를 타고 구엘 공원으로 향했다. 버스는 사람이 꽤 많았는데 산을 올라가다가 또 어지러워 중턱에서 내렸다가 다음 버스를 타고 갔다. 공원 위쪽 입구에서 입장권 판매기를 눌러봤더니 가까운 시간은 모두 매진이고 제일 빠른 것이 1, 2시간 이후 것이다. 상부 무료 공원을 먼저 둘러보고 시간이 되면 들어갈 수 있겠지만, 도저히 정신을 차릴 수가 없어 표는 사지 않고 그냥 상부 공원만 둘러보고 숙소로 돌아왔다. 사정을 들은 사장님께서 푹 쉬라며 샐러드 햄버거를 만들어 주셨는데, 한국 생각이 나서 몸은 으슬으슬해도 마음은 포근해졌다.

어제 저녁 신나서 항구를 쏘다닌 것이 화근인 것 같

다. 날씨가 쌀쌀하다 생각하면서도 열이 오른다며 얇은 티셔츠 하나만 입었더니, 열이 오르는 것이 아니라 열이 나는 것이었다. 숙소에 돌아와서 반나절을 꼬박 누워있다 보니 체력과 건강의 중요성이 새삼 절실해졌다. 내 천성에 여행 다닐 때 간호해줄 사람이 없는 것은 별로 신경 쓰이지는 않는다. 오히려 힘들면 혼자 동굴에 들어가는 성격상 옆에 누가 있는 것이 더 신경 쓰이고 불편하다. 여태까지는 병원 신세를 질 정도로 크게 아픈 적도 없었고, 병원에서 되지 않는 언어로 소통해야 하는 불편함도 없었다. 단지 누워서 푹 쉬고 시간이 지나 회복하면 되는 것이다. 하지만 그 병세로 인해 버리는 시간과 돈, 여행 계획의 차질 등이 골치 아프게 한다. 오늘은 바르셀로나에서의 마지막 밤인데 이렇게 허무하게 보내는 것에 참을 수 없이 화가 난다.

DAY 7 코르도바

남국의 남녀의 미친 사람들

어제 푹 잔 덕분에 아침에 개운하다. 오늘 바르셀로나를 떠나 세비야로 이동한다. 가는 길에 코르도바를 경유한다.

코르도바 '알카사르(Alcazar)'는 사라고사 알하페리아와 마찬가지로 바깥쪽에서 보면 견고한 성채이지만 안쪽으로 들어오면 연못을 중심으로 한 단정하고 우아한 중정과 화려한 이슬람 양식으로 장식된 궁전이 반겨준다. 규모 면에서나 화려함 면에서나 알하페리아에 비해 압도적이다. 알하페리아 3채 내지 5채는 들어갈 정도 같다. 기본적인 장식이나 무늬 형태는 알하페리아와 비슷한 톤인데, 황금이나 고급 보석들로 장식한 방들이 많아 값어치는 매길 수 없을 것이다. 새삼 안달루시아가 스페인 이슬람의 본거지였다는 깨달음이 든다. 중정으로 나오니 직사각형으로 조성된 연못 위로 곳곳에 분수가 뿜어져 나오고, 초록빛 오렌지 나무에는 탐스러운 오렌지가 빛나는 주황색을 뽐낸다. 남국의 풍토는 농작에 용이하다. 오렌지라는 과일은 해만 쬐고 비만 맞으면 저절로 잘 자라는 과실인지 스페인 여기저기에 주렁주렁 매달려 있다. 따로 물 주고 벌레 잡아주는 사람도 아마 없지 싶다. 제주에 가면 귤이 천지삐까리로 넘쳐나고 아무나 돌아다니다 길가에 있는 귤나무에서 귤을 따먹는다고 하지 않던가. 누가 돌봐주지 않아도 저 알아서 스스로 크는 데다가 사람들 기분 좋게 화사하게 퍼지는 시트러스 향이라니, 오렌지 계열의 과일이야말로 실로 천국의 과일이라 할만하다. 오렌지가 이렇게 풍요로운 남국이 진정한 천국이다. 성탑에 오르니 성채 바로 옆을 유유히 흐르는 과달키비르(Guadalquivir) 강이 보인다.

이곳 과달키비르 강가 메스티카(Mezquita) 옆자리에 원래 로마 관청이 있었다. 이슬람 우마이야 시대(Umayyad Caliphate)에 무데하르 양식의 성채로 개축했으나, 11세 이슬람 세력이 쇠퇴하면서 성채도 비워졌다. 1236년 레콩키스타로 코르도바가 기독교계로 복귀한 후, 1328년 알폰소 11세가 그 자리에 무데하르 양식을 차용하여 궁전을 건립하고, 궁전에 포함되지 않은 나머지 무어인의 건물 부분을 종교계와 귀족들에게 넘겨주었다. 헨리 4세와 이복형제 아르투리아스 왕자 알폰소가 내전을 벌이던 시기에 총기에 대한 방어력을 높이고자 현재의 감시탑이 증축되었다. 이후 카스티야의 이사벨라와 아라곤의 페르난도 2세는 알카사르를 개조하여 법정과 조사처를 설치하고, 그라나다의 나스리드(Nasrid) 왕조에 대항하는 본부로 삼았다. 1486년 콜롬버스가 이사벨라에게 항해에 대한 승인을 청한 곳이기도 하다. 1810년 스페인을 점령한 나폴레옹은 수비대를 주둔시키고 감옥으로 활용하였다. 1950년이 되어서야 관광지화 되어 대중에 공개되었다.

이번 주 내내 스페인 도시들에서는 고깔모자에 사제복을 입은 사람들 무리가 거리를 휩쓸고 다닌다. 스페인 지역별로 거행되는 부활절 성주간(holy week) 행사, '세마나산타(Semana Santa)'이다. 부활절 전 일주일 동안 실시되며, 주말이 가까워지자 열기가 절정에 다다르고 있다. 톨레도, 바야돌리드, 쿠엔카 등 동서남북을 가리지 않고 스페인의 거의 모든 도시에서 거행되지만, 성대한 규모로 따지자면 이곳 코르도바를 비롯하여, 세비야, 말라가 등이 위치한 안달루시아 지방이 제일이다. 축제의 백미는 단연 예수 그리스도의 고행과 부활을 상징하는 '산토(Santo)' 행렬이다. 도시별로 각 교구성당마다 시간과 일정을 배분받아, 도시의 대성당으로 모이는 행진 인원을 조직한다. 행진 인원은 작게는 600명에서 크게는 3천명까지 이르는데, 주요 구성은 그리스도의 고행을 형상화한 목조 인형 '파소(Paso)'를 담당하는 인원 '코스탈레로(Costalero)'와 고적대 및 수행원 '나자레노(Nazareno)'이다.

행렬의 머리에는 붉은 벨벳에 황금실로 수를 놓은 사제복을 입은 청년이 성당의 상징 깃대나 촛불을 들고 행렬을 이끈다. 실제 사제인지는 모르겠지만 진지하고 엄숙하게 부활의 신비를 기리기 위해 대성당으로의 길을 이끈다. 그 뒤로 오늘만큼은 느리고 진중한 성가가 아닌 민속적이고 약간은 흥겨운 음악을 연주하는 고적대가 따라간다.

고적대의 뒤로는 왁자지껄한 일꾼들이 나타난다. 이마를 가로지르는 머리띠를 두르고, 어깨와 허리도 끈으로 동여매고, 가끔은 상의를 탈의한 채 끙끙대며 파소를 들쳐메고 이동하는 코스탈레로들이다. 파소는 교구 성당의 규모나 여력에 따라 달라지는데, 그래도 등신대 크기로 제작된다. 주요 모델은 기둥에 묶여 고문을 당하는 그리스도, 십자가에 못박힌 그리스도, 그런 그리스도의 뒤를 따르는 성모마리아, 또는 내려진 그리스도를 안고 있는 성모마리아의 피에타 등이다. 특이하게 가장 인기 있고 정성을 쏟아 만드는 인형은 뒤를 따르는 성모마리아이다. 그리스도의 고행을 뒤따라 가지만 옷은 화려하게 성장을 하고 있는데, 보통 성모마리아는 소박한 흰색 드레스에 푸른색 망토를 두른 모습이지만 오늘만큼은 황금 왕관을 쓰고 황금실로 수가 놓아진 로열블루 망토를 쓴 여왕의 모습이다. 성모상이 탄 가마도 인형 중 가장 화려하게 황금실로 수가 놓여지고 촘촘히 수술이 매달린 고급 지붕 가마이다. 길고 거창한 베일은 성모마리아의 머리에서부터 인형세트 끝까지, 족히 몇 미터는 되어 보인다. 그 베일의 끝을 또 잡고 따라가는 사람도 있다. 어떨 때는 인체모형이 아니라 뒤주 같은 커다란 성궤를 들고 가는 행렬도 있다. 성궤에 무엇이 들었는지는 모르겠지만 황금으로 각 목

서리를 치장하고 가마 같은 것에 앉혀서 온다.

파소는 종류에 따라 다르지만 약 1.5톤에 이른다고 하며, 이를 이고지고 가는 코스탈레로가 40여명 정도 되는 것을 감안하면 한 명당 거의 40여 킬로그램 정도를 버티고 있는 것이다. 코스탈레로는 한 팀만 있는 것이 아니고, 대기자들도 같이 따라가면서 필요시 교대해 가며 이동한다. 무슨 부귀영화를 보자고 이런 고생을 하는지는 모르겠지만, 지원자가 너무 많아 참가비를 받고 참가하기도 한단다. 젊은 날의 치기 어린 도전정신인지, 각별한 신앙심의 발로인지 모르겠다.

고깔을 쓰고 수도복을 입은 나자레노는 불붙인 긴 양초를 들고 파소 뒤를 따른다. 고깔 복면은 눈부분만 뚫어놓아 얼굴도 알아볼 수 없다. 검은색, 갈색 등 어두운 계열의 수도복을 입고, 허리에는 마대 밧줄을 감고, 신발 없이 맨발로 골목 맨바닥을 걸어간다. 그리스도의 고행을 직접 체험하는 것이다. 행렬을 따라다니며 구경하는 어린이들은 촛불을 이어받으려 자신의 양초를 들이밀기도 하고, 양초에서 떨어지는 촛농을 받으려 컵 같은 것을 갖다 댄다. 촛농조차 성스러운 상징이 있거나, 혹은 그저 촛농이 신기해서 그러는 것일 수도 있다. 과거에는 세마나산타에 여성들은 참가하지 못했으나, 최근에는 여성들도 나자레노로 참가한단다.

평소에 여남은 명이 지나다닐 골목길로 수십, 수백명의 건장한 청년들이 다 같이 옷을 맞춰 입고 열을 맞춰 몰려가고 몰려오는 것을 보면 절로 흥분되고 신이 난다. 동네의 골목길은 양쪽 담으로 시야가 막혀 코너 도는 곳은 잘 보이지 않는데, 저 멀리 코너에서 파소가 빼꼼 고개를 내밀더니 이내 으쌰으쌰 청년들이 들썩들썩 들고 다가오는 모습을 보면 말도 안 나오는 거대한 크기와 청년들의 광기 어린 흥에 “야, 이 미친놈들아!” 소리가 절로 나온다. 오늘은 관광지 둘러보기도 쉽지 않다. 마을 주민 모두가 이 행렬을 보려고 밖에 나온 것같다. 명당은 대성당 앞집이다. 발코니에 나와 몇 시간 동안이고 세마나산타의 행렬을 구경하고 있으면, 천 만금이 부럽지 않을 것 같다.

메스키타까지 보았으면 좋겠지만 오늘은 난리통이라 어려울 것 같다. 세비야로 출발해야겠다. 안달루시아에 올 때 가장 먼저 그라나다의 알함브라(Alhambra) 궁전을 예약하려고 했는데, 실패해서 그라나다를 제치고 차선책으로 코르도바를 선택해서 왔는데 오히려 좋았다.

그라나다에서도 이렇게 온 동네가 동원되는 세마나산타를 거행할지 모르는 일이다. 또 하나 엘그레코의 모델들이 다 여기 있다. 물기를 머금은 처량한 눈, 길고 가는 얼굴과 손발. 스페인의 잘생긴 사람은 모조리 코르도바에 모인 것 같다. 여태 돌아다니는 중에 인구 대비 미남미녀가 제일 많은 것 같다. 축제도 재미있지만 사람들 속에서 부대껴도 신기하게도 이렇게 힘들지 않은 것은 사람들이 예쁘고 잘생겨서 그런 것 같다. 축제 때문에 버스도 다니지 않아 택시를 타고 겨우 기차역으로 이동하는데, 택시기사조차 잘 생겼다. 세비야에 가서 또 검증해 봐야겠지만 스페인의 미남미녀는 안달루시아에 다 있는 것 같다.

세비야에 도착해서 버스를 타고 숙소로 가려는데, 목적지까지 가지 않고 중간에 멈춘다. 이곳도 세마나산타로 온 도시가 마비다. 이곳이 더 큰 도시이니 더 크게 행사를 치렀겠지만, 어쩐지 코르도바의 그 좁은 골목길에서 만인과 부대끼며 즐긴 행사만큼의 흥분은 되지 않을 것 같아 별로 아쉽지는 않다. 하는 수 없이 먼 길을 걸어 숙소 민박집에 도착했다.

나 죽거든 절대 여기 묻지 마라

세비야에서의 첫 아침이다. <세비야의 이발사>와 <피가로의 결혼>처럼 명랑한 사랑이 흘러 다니는 동네, 플라멩코의 정열이 지배하는 동네이다. 이른 아침 대성당 관람에 늦지 않으려고 발을 재촉해 9시 30분경 도착했는데, 길게 늘어서 있을 줄 알았던 줄은 안 보이고 성당 문이 열려 있다. 웬일인가 들어가 봤더니 성가 소리가 들린다. 사제들이 아침기도를 드리는 것 같다. 부활절 행사를 하나, 공짜 개방인가 두리번거리며 돌아다니고 있었더니, 어디선가 나타난 경비들이 지금 사진을 찍지 말라길래 오늘 관람객 받지 않느냐고 물어봤더니 10시 30분부터 정문 쪽에서 표를 판단다. 다시

나가보니 과연 줄이 50미터는 서 있다. 기다렸다가 표를 사고 히랄다(La Giralda) 탑 모형이 있는 남문을 통해 다시 입장했다.

세비야 대성당(Catedral de Sevilla)은 세계에서 10번째로 큰 성당이며, 고딕성당 중에는 가장 큰 규모이다. 16세기 완공되었을 당시에는 이스탄불 아야 소피아(Hagia Sofia)를 뛰어넘는 세계에서 가장 큰 성당이었단다. 원래 이슬람 시절 세비야에는 오래된 모스크가 있었는데, 12세기 아부 야쿠브 유수프 칼리프(Abu Yaqub Yusuf Caliph) 시기에 왕족들이 다니기 쉽게 알카사르 옆에 5천여 평 규모의 새로운 모스크를 건립하였다. 이후 페르난도 3세가 세비야를 탈환한 후 세비야 모스크를 성당으로 개조하였고, 그 자신이 사후 이곳에 안치되었다. 14세기 기독교 문화가 고조되고 도시가 부강해지면서 시민들은 "후손들이 우리를 미쳤다고 생각할 정도로 엄청나게 아름답고 영광스러운 대성당을 짓기"로 한다. 사제들부터 봉급을 기부하였고, 신자들의 활발한 기부를 통해 건축가, 예술가, 장인들을 대거 동원하여 1401년부터 1506년까지 100년의 공사 끝에 성당을 완공하였다. 이슬람 모스크에 고딕 양식을 덧붙여서 그런지 삼각형의 뾰족한 이미지보다는 듬직한 사각형의 토대 위에 앙증맞게 첨탑을 심어놓은 모양새다. 공중부벽들도 대각선이 아닌 수직기둥 위에 수평 보를 얹은 형태로 안정적이다. 1888년 지진으로 인해 지하 성물실과 돔 부분에 큰 타격을 입고 1900년대까지 보수공사를 했다.

남문으로 입장했더니 스페인 땅에 묻히기를 거부하여 스페인 공중에 묻힌 콜럼버스의 관을 4명의 군주들이 들고 있다. 당당하게 웃고 있는 앞쪽 2명은 카스티야와 레온의 왕, 고개를 숙인 뒤쪽 2명은 아라곤과 나바라의 왕이다. 콜럼버스의 계획을 승인한 카스티야와 레온의 왕이 기분이 좋은가보다. 그나저나 절대 이 땅에 묻히지 않겠다고 선언한 콜럼버스의 유언을 존중하여 땅에는 묻지 않은 스페인 놈들의 기발한 아이디어에 찬사를 보낸다. 콜럼버스는 지하에서 땅을 치며 분통해 하겠지만 말이다.

본당 내부는 어마어마한 규모와 층고로, 웅장하고 엄숙하다. 과거 모스크였던 전력이 있어서 그런지 메아리가 잘 울리는 거대한 동굴 같은 느낌도 들고, 비어있는 컨벤션홀 같은 느낌도 든다. 제단 정면에는 성모마리아의 품에 안긴 그리스도 조각상이 있다. 황금 1.5톤이 사용되었단다. 신대륙에서 옮겨온 황금은 스페인 곳곳의 성당들로 흘러 들어갔다. 스테인드글라스를 통해 들어오는 형형색색의 빛이 화려하면서도 숙연함을 더해준다.

본당 관람을 마치고 히랄다 탑으로 올라갔다. 히랄다 탑은 과거 모스크 시절부터 있던 미나렛(첨탑, minaret)으로, 레콩키스타 이후 성당 종탑으로 기능하게 되었고 16개기에 꼭대기 층이 르네상스 양식으로 개조되었다. 탑 꼭대기에 기독교의 승리를 기념하기 위해 엘 히라딜로(El Giraldillo) 풍향계가 세워져 있고, 거기에서부터 히랄다 탑으로 불리게 되었다. 높이는 104미터, 건물로서는 약 7층, 층계는 34개라고 한다. 층계 수가 너무 적은 것 아닌가 하는데, 계단이 아니고 그 옛날 말을 타고 올라갈 수 있도록 경사로로 되어 있어 사실은 오르막이나 마찬가지이다. 탑 꼭대기는 역시 공간이 좁아 앞사람이 관람을 마치고 내려가야 뒷사람이 관람할 수 있을 정도이다. 꼭대기에서 본 세비야 시내는 잔잔하고 얕은 바다이다. 이곳도 문화유산 보호를 위하여 임의로 고층건물을 건축하지 못한다. 어느 정도 통일된 층수에 비슷한 발코니 디자인, 다같이 공유하는 화분 문화. 마음에 편안함과 안정감을 주는 풍경이다. 나도 시간을 길게 끌지 못하고 뒷사람을 위해 양보했다. 그나마 내가 올라갈 때는 여유가 있었는데, 내려올 때 보니 탑 입구부터 사람들이 줄을 서서 기다리고 있었다. 12시경 탑 관람까지 다 마치고 성당을 나올 때 보니 줄이 200미터는 서 있는 것 같다.

성당 바로 앞에 세비야 알카사르가 있다. 예매를 하지 못해 매표 줄에 섰는데, 여기도 200미터는 족히 되어 보인다. 줄에 서 있으니 플라멩코 할인권을 뿌리는 것도 보이고, 관광용 마차를 탑승하는 관광객도 보인다. 도시 전체가 하나의 거대한 놀이공원 같다. 말 편자가 낡았는지 자꾸 돌바닥에 미끄러져 안쓰럽다. 약 30, 40분 정도를 기다려 입장했다. 들어가는 붉은 문 위에 그려진 사자 문양 타일은 카스티야-레온 왕국의 레온을 상징한다. 사자의 문을 통과해 처음 들어선 곳도 '사자의 뜰(Patio del Leon)'이다. 코르도바보다 더 큰 규모로 명실상부 안달루시아의 지배자라 할 만하다. 세비야 알카사르가 이 정도인데, 알함브라 궁전의 위용은 얼마나 대단할지 짐작이 안 간다.

알카사르에서 실제 집무실과 관사로 사용했던 부분은 '돈 페드로 궁전(Palacio del Rey Don Pedro)'이다.

왕을 알현하는 외부인들에게 위압감을 주기 위하여 알카사르에서 가장 심혈을 기울여 만드는 '대사의 방(Salon de Embajadores)'에는 빼곡히 구멍을 낸 돔 천장 가득히 황금으로 칠해놔서 금 물감이 쏟아질 것만 같다. 왕의 위엄이고 뭐고, 저 황금 좀 떼어가고 싶은 마음이 들 것 같다. 수많은 장인들이 땀과 혼을 갈아 넣어 제작했을 극도로 정교한 조각과 화려한 문양은 역시 이슬람 궁전의 백미이다. 수많은 공간을 모두 다른 무늬의 아줄레주(Azulejo) 타일과 부조로 장식한 것을 보면, 그리고 그 복잡하고 정교함이 하나 같이 평범을 뛰어넘는 수준이라면, 이건 창의성과 공력의 범위를 넘어 집착과 편집 그리고 광기에서 나온 아이디어의 폭발이라 보인다. 오늘날 우리가 활용하는 거의 모든 인테리어 장식과 무늬가 이 문양들에 원조를 두고 있는 듯하다. 한편으로 이렇게 복잡하고 미로 같은 장식은 실제 여기서 거주하는 주인의 정신건강에 좋지만은 않았을 것 같은데 왜 이렇게 지었나 의문이 든다. 사람은 단순하고 소박한 공간에서 지내야지 잡생각도 없어지고 정신도 맑아질 것 같은데, 이렇게 복잡하게 얽혀있는 방 무늬를 보면 없었던 고민도 올라오고 정신이

혼란스럽지 않나. 구경하는 관람객으로서는 아름답다, 놀랍다, 감탄이 나오지만, 내 방을 이렇게 꾸미라고 하면 절대 반대다. '인형의 정원(Patio de le Munecas)'은 비교적 최근인 19세기에 리모델링한 유리 창문으로 쏟아지는 햇빛이 3개 층을 이루는 이슬람 장식의 아치 회랑을 환하게 비추고 은은하게 그림자를 지움으로써, 최근에 지어진 미술관 또는 도서관에 들어와 있는 느낌을 준다. 중정을 사이에 두고 두 꼬마 연인이 이쪽 회랑과 저쪽 회랑을 오가며 술래잡기를 하는 재미있는 상상을 해본다. '소녀의 정원(Patio de las Doncellas)'은 단정한 균형미의 극치이다. 직사각형의 정원은 위쪽과 아래쪽, 왼쪽과 오른쪽이 완벽한 대칭 구조로, 한가운데에는 세로로 길게 뻗은 연못이 있다. 회랑 기둥이 받치고 있는 벽 부분은 무데하르 양식 그대로 정교한 장식으로 빼곡히 들어차 있고, 기둥과 기둥을 연결하는 아치는 꽃잎처럼 올록볼록하다. 다만 별로 블링블링한 것도 없고, 소녀소녀한 감성도 없는데 왜 소녀의 정원인가, 의아했는데, '왕자의 정원(Jardin del Principe)'을 보고 나니 왜 소녀인지 알 것 같다. 왕자의 정원에 비하면 소녀의 정원은 질서정연하고 규격에 딱 맞는 소녀스러운 공간이었다. 왕자의 정원도 물론 직사각 공간에 벽으로 둘러있지만, 벽은 아무 장식 없는 회벽인데다가 아기자기한 소품 같은 요소가 전혀 없이 그냥 풀숲에 덩그러니 남겨진 것 같다. '머큐리 연못(Estanque de Mercurio)'은 고대 로마에서 수도교로 운반한 물을 일정한 곳에 모아두던 수조를 1575년 연못으로 개조하였고, 당시 연못 중앙에 수도교의 아치 모양을 본따 르네상스 스타일의 벽을 세우고 중앙에 머큐리(헤르메스) 조각상을 세운 데서 이름를 따왔다.

알카사르를 나와 '스페인 광장(Plaza de Espana)'으로 이동했다. 세비야의 스페인 광장은 2000년대 전까지 한국에 거의 알려져 있지 않았는데, 단 한 순간에 핫플레이스로 급부상했다. 2004년 배우 김태희가 플라멩코 춤을 추는 광고를 찍은 이후이다. 사실 이전까지는 세비야뿐만 아니라 스페인 자체에 대해서도 여행지로서의 인식이 거의 없다시피 했는데, 광고 한편으로 스페인에 대한 호기심을 폭발시키고 열풍을 불러왔다. 그 광고가 통신기기 광고였다는 것을 기억하는 이는 별로 없어도, '김태희 광장'에 대해서는 누구나 기억한다. 가히 역대급 광고라 할만하다. 알카사르에서 스페인광장까지는 트램(1.4유로)도 있지만, 걸어서 갔다. 가는 길에 세비야 대학을 발견했는데, 과거 담배공장으로 활용되었다고 하여 'Tobacco' 글자 문양이 아직 남아있다.

세비야 스페인 광장은 아마 세계에서 가장 아름다운 스페인 광장일 것이다. 마드리드, 바르셀로나에도 당연히 스페인 광장이 있고, 로마에도 스페인 광장이 있지만, 세비야의 스페인 광장은 규모에서나 아름다움에서나 여타 광장들을 압도한다. 거대한 반원형 아치 회랑이 광장을 둥글게 끌어안고 회랑 앞으로는 길게 이어진 유수풀 같은 인공호수가 조성되어, 마드리드의 레티로 공원이 떠오르는 구조이다. 관광객이고 시민이고 할 것 없이 호수에서 조각배를 타고 노니는데, 수면에 회랑 건물이 반영되어 일렁이는 것이 한 폭의 인상주의 명화 같다. 회랑 벽면에는 스페인 각 지역을 묘사하거나 상징하는 그림이 타일작품이 부착되어 있고, 그림 앞으로 벤치도 마련되어 있다. 스페인 국내 여행객들은 각자 자기 출신 지방 타일 앞에서 사진을 찍겠지만, 나는 그럴 일이 없어 지금까지 지나온 도시들을 찾아보았다. 마드리드, 사라고사, 바르셀로나는 찾았고, 빌바오는 타일이 없는 것 같았다. 카탈루냐 독립국은 인정하면서 아라곤 왕국은 차별하나. 습하고 찌는 날씨에 평평한 광장은 태양열을 그대로 흡수하여 꼭 지글지글 타는 프라이팬 같다. 4월만 되어도 이렇게 타는데, 7, 8월은 어떨지 상상이 가지 않는다. 스페인 광장은 야경이 예쁘다던데, 사실은 낮에 돌아다니기 그런 것일 수도 있다.

지칠 대로 지쳐서 스페인 광장을 나섰다. 다시 대성당 쪽으로 돌아오니, 드디어 세마나산타가 진행 중이었다. 어떤 교구인지 모르겠지만, 짙은 녹색 빛의 나자레노 복장과 로열블루색의 고적대 복장이 대조되었다. 푹푹 찌는 날 복면을 뒤집어쓰는 것도 고생일텐데 신심이 대단한 것 같다. 세마나산타 행렬은 복장도 그렇지만 특유의 고적대 음악 때문에 흥분이 더 고조되고, 잊을 수 없는 매력이 있다. 매년 소음을 감당하는 주민들은 싫어할 수도 있겠지만, 어쨌든 유구한 전통이 내려오고 그 전통을 외지인이 이렇게 좋아하는 것을 보면 확실히 매력 있는 마을이다.

밤 10시 플라멩코 공연장 '타블라오 엘 아레날(Tablao el Arenal)' 입장권을 예약해놨는데 표도 챙길 겸 중간에 숙소로 돌아갔다. 감기가 다 낫지 않았는지 기침이 계속 나와서 호올스라도 살까 하고 슈퍼마켓으로 길을 나섰는데, 세마나산타 행렬 때문에 5분 거리를 30분 만에 다녀왔다. 슈퍼마켓에 호올스는 없었다. 숙소에서 더 쉬다가 밤 9시경 공연장으로 출발했다. 아직도 길이 계속 막혀 15분 거리를 30분 만에 도착했다. 9시 45분쯤 부랴부랴 도착했는데 괜히 일찍 왔다. 문밖에 줄 서 있으라고 해서 기껏 줄 서면서 새치기하는 인간들과 신경전하고 있었는데, 막상 들어가니 자리를 미리 배정해 놓았다고 하며 나를 구석탱이에 몰아놨다. 이럴거면 지각할걸. 다들 예약할 때 식사(70유로), 타파스, 음료(38유로) 중 하나를 주문하고, 주문 가격에 맞춰 좋은 자리, 나쁜 자리를 배정하는 것 같은데 식사하는 사람은 못 보았고, 대부분 타파스를 먹는 것 같다. 나는 오렌지주스를 주문해서 맨 뒷줄에서 보았다.

플라멩코 공연은 1시간 45분 정도 진행되었다. 기타 2명, 가수 3명이 돌아가며 노래 부르고 기타를 쳤다. 댄서는 여자 4명, 남자 1명이 돌아가며 춤을 추고, 마지막에 다 같이 나와서 군무를 추었다. 플라멩코는 대부분 빠르고 신나는 장단인 줄 알았는데, 느리고 꾸무럭거리는 부분이 더 많았다. 집시들의 역사를 담고 있다고, 한을 푸는 것인지 느린 박자에 몸을 긴장시켰다가 빠른 장단에 정신없이 휘몰아치는 것 같다. 사실 신나는 빠른 장단은 금방 지나가고, 느린 장단에서는 좀 졸렸다. 재미는 있었지만 글쎄, 재관람 의향은 별로 없고 왠지 나도 배우면 할 수 있을 것 같은 춤이다. 공연은 밤 12시가 다 되어 끝났고 숙소로 오는 길은 조금 무서웠다. 다행히 스페인은 밤늦게까지 먹고 노는 문화라 아직 불 켜진 가게가 많았다. 세마나산타 인파는 흩어졌지만 숙소 오는 길을 약간 헤매느라 늦게 도착했다.

DAY 9 세비야

젊어 고생을 사지는 말자

오늘 밤 11시 30분에 야간버스를 타고 포르투갈 리스본으로 넘어가야 한다. 어제 세비야에서 볼 만한 것들은 다 보았으니, 오늘은 코르도바를 다시 다녀오려고 한다. 엊그제 세마나산타만 즐기고 메스키타(Mesquita)를 보지 않은 것이 못내 아쉬웠다. 모스크에 교회를 정통으로 심어놨다고 하여 호기심이 피어난다. 메트로폴 파라솔(Metropol Parasol)에 들렀다가 아르마스 터미널에서 버스를 탈 계획으로, 숙소에 혹시 짐을 맡길만한 데를 아느냐 물었더니 산세바스티안의 프라도 터미널 보관함에 넣어놓으라 한다. 하는 수 없이 바리바리 짐을 싸서 대성당 트램 정류장까지 갔다. 트램 1회권(1.4

유로)을 끊으려는데, 버벅거려서 승무원분께서 도와주셨다. 내가 "프라도, 산세바스티안?" 하고 물으니 맞다며, 두 정거장 지나서 내리라고 하신다. 내가 트램에 탑승해서 자리에 앉고도 계속 나를 지켜보시며 살펴주신다. 북국이라고 마음이 차가운 사람들이 사는 건 아니지만, 남국 사람들의 마음은 참으로 따뜻한 것 같다. 다들 외지인이나 약자를 보살펴주지 못해 안달이다. 그렇다 해서 부담스럽게 다가가는 것이 아니라 한발 물러서서 불편하지 않게 지켜보다가 딱 한 모금씩 도와주시는 것이, 고마우면서도 마음이 포근해진다. 산세바스티안 정류장에 내려서 또 어리버리 허둥지둥 프라도 터미널을 찾지 못하고, 지나가던 할아버지께 여쭤봤더니 직접 데려다주신다. 오늘 아침부터 벌써 두 번이나 큰 도움을 받았다. 터미널 안내센터에서 콘시냐(consigna) 어딨냐, 물으니 건물 끝 대합실에 있다고 하여 겨우겨우 찾았다. 무사히 보관함에 짐을 넣고 다시 트램을 타고 가는데, 오늘도 역시 세마나산타로 길이 막혀 누에보 광장까지 들어가지를 못했다. 하는 수 없이 대성당에서 다시 내려 메트로폴파라솔까지 걸어갔다.

메트로폴파라솔은 본명인 '세비야의 버섯들(Las Setas

de Sevilla)'처럼둥근 모자를 쓴 6개의 버섯같이 생겼다. 높이 150미터, 길이 70미터, 넓이 30미터에 이르는 세계 최대의 목재 건물로 독일 건축가 위르겐 마이어(Jurgen Mayer)가 건축하였다. 2006년 착공하였으나, 2007년 현장에서 로마 유적이 발견되어 중단되었다가 2011년에서야 완공되었다. 공사가 중단된 동안 천정부지로 늘어나는 비용 때문에 프로젝트가 무산될 뻔했으나, 다행히 여기저기서 도움의 손길을 빌려주어 완공까지 이르렀단다. 로마 유적이 발견되었던 만큼 전망대 아래에 고고학 전시관을 설치하고, 그 밖의 상점들을 입점시켜 단순히 전망대로서뿐만 아니라 구경하고 쇼핑도 하는 유흥가로서의 역할도 한다. 세비야 대성당에 버금가는 시내 최고의 높이와 동서남북 막히는 곳 없이 뻥 뚫린 사위 덕분에 일몰 맛집이란다. 순전히 나무로만 만들었을 것 같지는 않고 이음새 부분은 나사로 이어져 있기도 하고 내부에는 철심을 박은 것 같다. 학창시절 하드보드지에 홈을 내어 서로 끼워 맞추면서 구조물을 만들었었는데 그걸 거대하게 확대한 것 같아 친근함이 느껴진다. 시간이 촉박해서 전망대 위쪽에는 못 올라가고 그냥 한 바퀴 둘러보고 떠났다.

아르마스 터미널에서 코르도바행 버스표를 사고 22번 승차장으로 가는 도중 구멍가게를 만났다. 혹시나 해서 들어가 보았더니 뜻밖에 어제 못 산 호올스가 종류별로 있어 횡재했다. 3개나 충동구매 했다. 아주 매운 맛, 덜 매운 맛, 안 매운 레몬 맛을 샀는데, 안 매운 레몬 맛만 살 것을 후회했다. 이게 맵기 시작하면 너무 매워 입을 다물 수가 없다. 고속버스를 타고 코르도바로 가는 도중 비가 내리기 시작했다. 스페인에서 처음 만나는 비다. 후덥지근한 땅과 공기가 좀 식혀지는 것 같아 반갑다가도 여행에서 꼭 비를 만나는 내가 이제는 날씨악마로 불려야 하지 않을까 생각이 들었다. 코르도바 도착할 때쯤 비가 그치기를 기도했는데 기도는 이루어지지 않았고, 코르도바 터미널에 내리니 비가 점점 더 거세진다. 얼른 버스정류장에 달려가 시내버스(1.2유로)에 올라탔다. 산 페르난도 정류장에 내리니 비가 조금 멎은 것 같아 메스키타로 향했다. 세마나산타는 커녕 개미 코빼기도 안 보이길래 혹시 메스키타 휴무일인가 걱정되어 달려갔다. 다행히 열려 있길래 급한 마음에 입구에 있는 직원께 20유로를 꺼내 드렸다. 직원분이 당황하는 듯하더니 이내 상황을 이해하고 저기 탑 아래 있는 매표소에서 표를 사오라고 하셨다. 매표소에 갔더니 표는 8유로였고, 표를 다시 직원께 내밀었더니 사람 좋은 미소를 지으며 들여보내 주신다. 나도 실없이 픽 웃으며 들어갔다. 허겁지겁 달려온 동양 여자가 다짜고짜 아무 말도 없이 20유로를 내밀다니, 적선도 아니고 뭘 사려는 건지도 모르겠고, 직원분이 꽤나 당황하셨을 법도 하다. 나도 왜 갑자기 표 없이 그냥 들어가려고 했는지, 무슨 정신이었는지 모르겠다. 그저 어서 빨리 그 이상한 건축물이나 좀 보자는 마음이었나 싶다.

메스키타에 딱 입장하자 인터넷에서 수없이 본 장면이 눈앞에 펼쳐졌다. 흑백의 줄무늬로 된 아치들이 열을 이루고 겹겹이 쌓여 동굴을 이루는 공간. 그 사이사이를 비추며 붉은빛을 내뿜는 기하학적 모양의 랜턴들. 장미십자회 또는 프리메이슨 지부가 모여 정기회의를 하며, 눈밖에 보이지 않는 고깔을 뒤집어쓴 사람들이 웅성웅성 조심스럽게 몰려다니는 장소. 공상의 근원이 되고, 상상했던 바가 눈앞에 그려지는 공간. 신기하다. 사원 중앙으로 가자 기독교 성당이 심겨 있다. 빛이 거의 들어오지 않는 모스크 부분과 대조적으로 성당 쪽에는 환한 빛이 내리쬐어 성상과 조각들이 마치 구름 사이로 빛나는 해처럼 보인다. 비가 오는 날에도 이 정도 밝기라면 해가 환한 엊그제에는 거의 구름 위 천국에 와 있는 듯한 느낌을 받았을 것이다. 못내 아쉽다. 기존 관습과 타협하지 않으려는 교인들의 의지를 반영한 것인지, 조화시키는 데 드는 예산이 부족해서였는지 모르겠지만 평평한 벽돌 아치로 이루어진 모스크 안에 굽이치고 활개 치는 바로크 성당이라니, 확연하게 대비되어 보인다. 그래도 성당을 예쁘고 훌륭하게 잘 좀 짓지, 별로 수준 높은 성당이 아닌 것이 아쉽다. 잘 만들어진 케이크 속에 뜬금없이 포카칩을 박아넣은 꼴이랄까.

다시 세비야로 돌아오니 저녁 8시 30분이다. 프라도 터미널로 바로 가기 전에 스페인 광장의 야경을 보러 한 번 더 방문했다. 낮보다 아름다운 밤이라는 말이 꼭 들어맞는다. 주간의 스페인 광장이 빨간 드레스를 입은 김태희라면, 야간의 스페인 광장은 검은 드레스를 입은 이영애이다. 범접할 수 없는 아우라, 두려우면서도 아름다운 경외의 대상. 낮에 올록볼록 아기자기해 보였던 장식은 어둠이 깔리자 괴기스러운 그림자로 다가왔다. 그러면서도 그림자가 그려내는 아름다움은 영화 속 한 장면 같아 보였다. 비가 후두둑 떨어질 때면 호수에 빗

방울이 만드는 잔물결 위로 회랑의 반향이 퍼지면서 잔상이 남는 것이 환상적이다.

프라도 터미널에서 야간버스에 올랐다. 프라도 터미널에서 1차로 사람을 태우고, 아르마스 터미널에서 2차로 더 태웠다. 프라도에서 내 옆에 아무도 앉지 않았다고 좋아했건만, 아르마스에서 결국 옆자리에도 누군가가 앉아 꼿꼿이 불편한 채로 6시간을 이동했다. 사실 굳이 야간버스로 이동하지 않아도 될 일정이지만, 괜히 또 야간버스에 대한 로망을 채우고자 굳이굳이 야간버스를 끼워 넣은 것이다. 캄캄한 밤 전조등 하나에 의지하여 고속도로를 달리는 고속버스. 불 꺼진 차 안에서는 열정 넘치던 젊은이들도 긴 여정의 지루함을 참지 못하고 쌔근쌔근 잠을 잔다. 게 중에 드르렁드르렁 코를 고는 사람도 있고, 옆자리 모르는 사람의 어깨를 허락도 없이 빌리는 사람도 있고, 양말을 벗고 맨발을 올려놓은 사람도 있다. 다들 고상한 꼬라지는 아니지만 같은 곳을 향해 달려간다는 사실 하나로 모르는 사람끼리도 어색하지 않은 공기. 젊음의 냄새.

그런데 막상 실제 야간버스를 타보니 그런 낭만은 정말 그냥 허황된 소설일 뿐이다. 성인 두 사람이 앉기에는 버거운 좌석, 옆자리 사람과 닿고 싶지 않지만 어쩔 수 없이 살이 맞닿는 간격, 잠은커녕 눈도 못 감겠는 퀘퀘한 냄새와 비좁은 자리. 허리는 뻐근하고 다리는 저려 온다. 공기도 나쁜지 목도 칼칼하다. 내가 미쳤지. 무슨 부귀영화를 보겠다고 사서 고생을 했까. 늙어서 후회하더라도 젊어 고생을 사지는 말자.

예정보다 빨리 도착해서 5시경 리스본 세치 히오스(Sete-Rios) 터미널에 도착했다. 포르투갈어로 '7(sete)'과 '강(rio)'의 조합이다. 예전에 이곳이 일곱 물줄기가 합쳐지는 곳이었나 보다. 일찍 도착했다고 좋아했건만 마냥 좋아할 것도 없는 것이, 지하철 운행 시간은 6시 30분부터였다. 할 수 없이 지하철역 계단에 쪼그리고 앉아 있다가 숙소로 들어왔다. 안에서 구겨진 사람은 밖에서도 구겨져 있다고, 한국에서만 첫차 기다리느라 맥도널드에서 구겨져 있을 줄 알았는데 이곳 유럽에서도, 그것도 생전 처음 밟는 포르투갈 리스본 땅에서 처음으로 한 일이 첫차 기다리느라고 구겨져 있는 것일 줄 누가 알았을까.

DAY 10 리스본

꿈돌이야, 잘 지내니

6시 30분 첫차를 타고 7시경 숙소 호스텔에 도착했다. 체크인은 2시부터 가능하다고 하여 짐이라도 맡아 달라고 하고 나왔다. 유럽에서 아침 7시에는 갈 곳이 없다. 배가 고팠으나 슈퍼마켓 한 군데조차 문을 연 곳이 없었다. 호시우(Rossio) 광장에 나와보니 기차역에 맥도널드, 스타벅스 등 유명 브랜드들이 있다. 맥도널드는 아직 닫혀 있었고, 다행히 스타벅스가 문을 열어 크라상과 커피(6.2유로)를 먹었다. 스타벅스라 그런지, 포르투갈이라 그런지 물가가 저렴한 동네는 아닌 것 같다. 이곳 관광지들은 9시나 되어야 문을 열 것이다. 생각해보다가 외곽으로 나가야 하는 신트라(Sintra)를 오늘 가기로 했다. 기차표(2.15유로)를 끊고 9시경 신트라에 도착했다.

지나다니는 사람들에게 페냐 성(Palacio Nacional de Pena)으로 가는 버스를 어디서 타느냐 물었는데, 현지인이 아닌지 잘 모른다. 역사 왼편에 마침 버스정류장이 있길래 가서 또 사람들에게 페냐 성에 가느냐 물었더니 자기들끼리 맞다 아니다 싸운다. 페냐 성이라는 게 이 동네 랜드마크 아니었나. 사람들이 별 관심이 없나. 사람들은 이야기를 마치더니 역사 반대편으로 가란다. 다시 반대로 가서 역사 오른편으로 가봤더니 역시나 버스정류장이 있고, 페냐 성과 무어인 성 등 관광지를 순회하는 홉온홉오프(Hop-on Hop-off) 버스(5유로)가 있다. 버스를 타고 가는데 가는 길이 아말피 해안도로나 프랑스 코트다쥐르만큼 장관이다. 구불구불 이어지는 산길을 타고 올라가면서 신트라 전경을 볼 수 있다.

페냐성 정류소에 도착하여 성 입장권(13유로)과 성까지 올라가는 버스표(3유로)를 끊었다. 매표소부터 성 입국까지 경사가 가파르고 시간이 오래 걸린다고 하여 체력과 시간을 아끼기 위해 버스를 탔는데, 가면서 보니 그렇게 힘든 코스는 아니다. 체력이 완전히 충전된 상태였다면 굳이 타지 않았어도 될 뻔했는데. 괜히 이런 데다가 돈 쓰고 나중에 몇 푼 안 되는 돈 아끼려다가 된통 혼나지나 말자.

성채에 도착했다. 이런 성에 13유로나 받아먹는 것은 도둑놈 심보다. 13유로로 이곳 페냐 성 말고 무어인 성도 갈 수 있는 것 아닐까? 아닌 것 같다. 도둑놈들 말로는 온전히 이 돌집에 13유로를 내라는 것이다. 이탈리아 생각이 났다. 미안하지만 스페인, 포르투갈 여행을 하면서 내내 이탈리아 생각이 난다. 이탈리아 입장료가 비싸다, 도둑놈들이다, 했는데, 스페인, 포르투갈에 비하면 참된 '성모혜자'님이었다. 건물의 고급소재, 설계의 과학성과 창의성, 예술작품의 완성도와 깊이감. 이탈리아 유물, 유적은 그 어느 하나 돈 아까운 구석이 없다. 하다못해 그 비싼 고급 대리석을 밟게 해주는 것만으로도 그 입장료는 타당했다. 스페인, 포르투갈은 비싸다고 해봐야 타일이라는 모자이크로 박아놓은 형편이다. 이탈리아는 입장료를 더 받아도 된다. 아니, 스페인, 포르투갈이 덜 받아야 맞다.

물론 페냐 성 자체는 훌륭했다. 원색과 파스텔 톤 색깔이 알록달록 조화롭게 어우러진 외부와 내부. 아름다운 아줄레주 장식, 성에서 내려다보면 한눈에 막힘없이 펼쳐지는 탁 트인 신트라 전경. 한가지 빼놓을 수 없는 것이 구름이다. 이베리아반도에서는 항상 볼거리에 구름을 포함해야 한다. 구름이 없었다면 이 동네의 풍경은 가치가 절반 혹은 1/3로 떨어질 것이다. 스페인, 포르투갈의 환상적인 뭉게구름은 항상 넋을 잃게 만든다. 험준한 산맥이 별로 없는 이곳에서 구름은 두껍고 높게 치솟아 올라간다. 겉으로 보기에는 물기를 머금고 있지 않은 것 같다. 찐빵같이 동글동글한 솜뭉치들이 서로 들러붙어 부피감을 자랑하는 덩어리를 이룬다. 솜사탕보다는 치밀하고 밀가루 반죽보다는 덜 쫀쫀하다. 완벽한 하늘색의 하늘에 완벽한 하얀 구름이 무게감 없이 떠 있고, 구름의 윤곽 사이사이로 매끈하게 그림자가 나 있다. 유화로 그리기 좋은 구름이다.

하지만, 고지대 산꼭대기에 성을 만든 것이 놀랍다고 한다면, 우리 석굴암이나 남한산성이 더 놀라울 만하다. 요새라서 당연하겠지만 페냐 성을 이루는 석재는 매끈하게 다듬어지지도 크기를 맞추어 규격화되지도 않았다. 돌을 쌓고 색을 칠한 것이 전부이다. 내부도 역시 석재로 마감되어 있고, 장식도 소박하다. 13유로나 주고 보기에는 아깝다. 성 관람을 마치고 다시 버스를 타고 매표소로 내려오니 그제야 입장하려는 관람객들이 바글바글하다. 승용차와 버스가 한데 뒤엉켜 어지럽고, 사람들은 더 어지럽다. 날이 밝으면 이렇게 붐비는 관광명소였다니 신기하면서, 일찍 왔다 가는 것이 다행스러웠다.

다시 리스본으로 돌아와 빅맥세트(5유로)를 먹으며 리스본 시내 투어버스를 알아보았다. 스타벅스에서 6유로나 써서 물가 비싸다고 했었는데 빅맥세트의 가격을 보니, 스타벅스가 그냥 비쌌던 것이었다. 역시 세계 3대 미식은 맥도널드, 피자헛, 스타벅스이다.

여행자센터에 가서 지도를 얻고 시내 투어로 레드버스와 옐로우버스, 두 업체 중 옐로우버스 바우처(19유로)를 구입했다. 피게리아(Figueria) 광장에서 버스기사에게 바우처를 내고 티켓을 받았다. 옐로우버스는 도시 서쪽을 도는 타구스(Tagus) 라인과 동쪽을 도는 올리시포(Olisipo) 라인이 있는데, 타구스라인을 먼저 탔다.

제로니무스 수도원(Mosteiro dos Jernimos) 정류장에서 내렸다. 오늘은 월요일이라 수도원은 휴무이고 유명한 벨렘 에그타르트(Pasteis de Belem) 집을 찾았다.

땡볕인데도 테이크아웃 줄이 길었다. 오히려 내부 자리를 잡는 것이 더 빠를 것 같아 기다렸다가 자리를 잡고 주문을 했다. 보통 2명에 에그타르트 4, 5개를 먹는 것 같았는데, 세비야에서 만난 어떤 한국분이 5개까지 먹었다고 하여 나도 타르트 5개와 카페라테(6.40유로+팁 1유로)를 시켰다. 타르트 첫입은 환상적이었다. 과연 명실상부 천상의 맛이었다. 그동안 에그타르트는 퍽퍽한 과자 파이지 안에 눅진한 커스터드크림이 들어있는 것으로 알았는데, 이것은 전혀 달랐다. 파이지는 겹겹이 부서지는 패스츄리로서 밀가루를 뭉쳐 만들기보다는 달걀물 등을 수십 번 발라 펴서 얇은 껍질을 여러 겹 겹쳐놓은 것이었다. 속의 에그크림도 단맛이 거의 없이 달걀만을 이용해서 고소하고 약간은 누린내가 나게 만든 것이었다. 어떻게 보면 한국의 에그타르트와는 모양만 비슷하지 전혀 다른 음식이었다. 그게 원조인지 이게 원조인지 싸울 필요 없이, 그냥 둘이 서로 다른 음식이라 서로 각자 원조라고 해도 될 것 같았다. 허겁지겁 걸신들린 듯 첫 타르트를 꿀꺽 먹고, 두 번째 타르트도 빠르게 삼켰다. 세 번째 빵을 먹는데, 한계효용이 체감하기 시작했다. 느끼한 에그크림 때문인지,

애초에 인당 2개 이상은 무리였는지, 도저히 꿀꺽 삼켜지지 않았다. 네 번째, 다섯 번째 빵은 거의 커피에 적셔 먹듯이 해치웠다. 다 먹고 나니 정복감과 개운함은 충만했지만, 벨렝 에그타르트를 다시 먹을 일은 없을 것 같다는 생각이 들었다. 무엇이든 질리도록 하고 나면 절대 돌아보지 않는 법이다.

다시 옐로우버스를 타고 시원한 강바람을 맞으며 테주강(Rio Tejo)을 따라 달렸다. 시원한 강바람을 맞으며 오픈카를 타고 달리니 출장 왔다가 잠깐 휴식을 취하는 대기업 임원 같은 기분이 들었다. 서울에 비하면 리스본은 강북 또는 강남 정도의 작은 도시이지만, 그렇기 때문에 더 한적하고 아늑한 구석이 있다. 테주강은 느리고 안온하게 흘러갔고, 우리 강변북로와 비슷하게 강변을 따라 난 고속도로는 시원하게 뻥 뚫려 있다. 강변을 따라 벨렝의 탑(Torre de Belem), 발견기념비(Padrao dos Descobrimentos), 코메르시우 광장(Comercio) 등이 보였다. 다시 피게이라 광장으로 돌아왔다.

벌써 오후 5시가 되어 사실상 오늘의 마지막 탑승으로 올리시포 라인 버스에 올랐다. 2층 지붕 없는 공간에 나 홀로 앉아 직사광선을 받으며 도시 동쪽 신도시로 향했다. 판테오나치오날(Panteao Nacional)을 지나 외곽 공업지대, 항구로 향했다. 타일박물관(Museu do Azulejo), 해양박물관(Oceanario) 등을 거쳐 엑스포단지로 향한다. 리스본 엑스포는 1998년 개최되었는데, 이은 20세기의 마지막 엑스포였고 역사상 최초로 인정박람회로서 개최된 것이다.

엑스포 하면 또 1993년 우리 대전 엑스포에 대해 말하지 않을 수 없다. 1993년 언저리에 국민학교(現 초등학교)를 다닌 사람들은 소풍으로 반드시 한 번쯤은 대전 엑스포에 다녀왔을 것이다. 그때 당시만 해도 대전 엑스포는 현재의 롯데월드, 에버랜드 정도의 위상을 가진 테마파크였다. 더구나 몇 년 전의 올림픽처럼 국가 전체가 동원되어, 세계인들에게 성공적으로 장기자랑을 보여준다는 자부심에 애국심이 한껏 고취된 상태였으므로, 한국인으로서 한빛탑 앞에서 찍은 사진 한 장 없으면 간첩이었다.

이제는 당연한 문물이 되어버린 컴퓨터와 핸드폰, 무인기술 등이 그 당시에는 미래에서 온 첨단기술이라며 떠들썩하게 뉴스를 타고는 했다. 당시 자가용 없는 집들도 꽤 있었을 시기였지만, 전시장에는 기아 프라이드 등 개조한 전기자동차가 돌아다니면서 조만간 집집마다 이런 차를 한 대씩 갖게 될 거라며 희망을 불어넣고 있었다. 과거에 예상했던 기술이 현실화되는 것을 보면, 하늘 아래 새로운 것은 없다는 말도 맞는 것 같고, 사람은 꿈꾸는 대로 이루어간다는 말도 맞는 것 같다.

엑스포라는 것이 언제 생겼는지에 대해서는 의견이 분분하지만 보통 1851년 런던 엑스포를 세계박람회의 시초로 본다. 이후 국가들마다 엑스포 개최 경쟁이 과열되자 1930년대 파리에 국제박람회기구(Bureau International des Expositions)가 설립되어 공인받은 엑스포만 공식 국제행사가 된다. 국제기구가 있음에도 불구하고 엑스포 개최는 주먹구구식으로 운영되었다. 1990년대 들어서는 거의 매년 엑스포가 개최되었고, 1992년에는 한 해에 3개의 엑스포가 동시에 개최된 데다가, 개최할 때마다 매번 이전보다 더 크게, 더 돈을 많이 써서 하려는 욕심 때문에 시장이 과포화상태였다. 이쯤 되면 그냥 돈 내고 현수막 거는 것이 엑스포였다. 대전도 이 분위기에서 엑스포를 개최했던 것 같다.

이렇듯, 90년대 초반 경제부흥에 힘입어 우후죽순 산발하던 엑스포가 결국에는 협동 궤멸로 이어질 수 있다는 우려에서인지 국제박람회기구에서 제동을 건다. 이제부터 엑스포라는 용어는 올림픽 게임처럼 공식 상표권으로 쓰고, 그 권한은 자기들이 주겠다는 것이었다. 1996년 체결된 규약에 따라, 월드엑스포(World Expo, World's Fair, 등록박람회)와 전문엑스포(Specialized Expo, Recognized Exhibition, 인정박람회)로 나뉘게 된다. '0'이나 '5'로 끝나는 해에만 개최되는 월드엑스포는 6개월 이내에 제한 없는 규모로 인류와 미래에 대한 포괄적인 주제에 대한 모든 전시를 실시한다. 월드엑스포 사이에 한 번씩만 개최할 수 있는 전문엑스포는 25만 평방미터의 규모 내에서 3개월 이내로 특정 분야를 주제로 전시를 실시한다. 사실 1996년부터 시행된 규약이므로 1993년 대전엑스포는 당시에 분류되지 않았지만 소급적용하여 인정박람회로 분류되었다. 다만 실제 전시장 규모는 25만 평방미터를 훌쩍 넘었다. 정부는 자랑하고 싶은 것이 너무 많아 한국이 제외된 전시장만 25만 평방미터로 계획하고, 한국이 들어간 것들은 모조리 그 밖으로 빼내었다.

그때는 몰랐지만, 나중에 알고 보니 당시 엑스포 유치를 둘러싸고 치열한 국내 신경전과 국제 외교전이 있었더랬다. 88올림픽이 끝나자 국가 총동원 수확의 달콤한 맛을 본 정부는 그 모멘텀을 이용하여 국가 위상을 다시 한번 높이고자 눈에 불을 켰고, 그때 부상한 것이 엑스포였다. 야심만만하게 엑스포 유치를 추진하던 정부에 반대하던 야당을 비롯한 반대 측은 할 테면 해보라고, 국제박람회기구의 승인을 받아오라고 했다. 이에 정부는 국제박람회기구에 가서 '우리가 저예산 엑스포의 신기원을 열겠다'는 귀가 혹할 만한 제안으로 설득하여 당당하게 공인을 받았고, 대전 엑스포를 유치하게 되었다. 우여곡절 끝에 개최한 엑스포는 당연히 정부와 국내 기업들에게 과다한 부담을 지웠지만 그래도 그 와중에 꽤 많은 국가들의 관심을 얻었다. 48개국이 국가관을 설치했고, 58개국 등이 대륙별 전시관을 통해 자국의 자랑거리를 선보였다. 마침 이때쯤 KTX 차량을 선정하기 직전이었는데, 덕분에 TGV의 모국 프랑스와 기술의 ICE를 보유한 독일이 눈물겨운 경쟁전을 벌였고 나름 엑스포의 흥행에 도움이 되었다.

엑스포에는 서울랜드에도 있는 거대하고 뾰족뾰족 뿔이 난 구체가 있었는데, 이 구체의 원조는 미국 플로리다 디즈니월드의 앱캇(EPCOT, Experimental Prototype

Community of Tomorrow)이다. 당시 부랴부랴 엑스포 개최 준비를 하면서 대기업 임직원들은 디즈니월드에 가서 어트랙션의 ㄱ,ㄴ,ㄷ부터 배워왔고, 이를 바탕으로 성공적으로 첨단기술을 갖춘 설비을 대거 설치했단다. 디즈니월드로 출장 가는 대기업 임직원들의 마음은 어땠을까. "본부장님, 둘째 날부터 본격적으로 관람하시겠습니다. 앱캇에서는 요거 요거 요게 제일 재미있답니다." 정장을 입고 갔을까, 비즈니스 캐주얼을 입고 갔을까. 혹시 하와이안 셔츠는 아니겠지. 미키마우스, 도널드덕과 사진도 찍었을까. 어트랙션도 탔을까. 결과보고서는 어떻게 썼을까. 어린이든 어른이든 재미있는 곳에 간다고 생각하면 흥분되는 법이다.

오늘날 다양한 분야 곳곳에서 적극 활용되는 '도우미'라는 용어도 대전 엑스포에서 처음으로 탄생하였다. 아가씨, 안내원이 아니라 정식으로 관람객들을 도와주는 도우미라는 용어를 고안한 조상들의 지력에 감탄이 나온다. 지금은 엑스포 설비의 대부분이 운행종료 및 폐쇄되었고 엑스포 단지는 연구단지 및 주거단지로 재개발 되었지만, 아직 자리를 지키고 있는 한빛탑을 보면 옛날 추억도 들고 자부심도 상기하고, 여러모로 좋다. 디즈니나 루니툰 외에 마땅한 한국 캐릭터가 없었던 문구시장에 꿈돌이라는 베스트셀러가 탄생한 것도 하나의 업적이다.

이곳 리스본의 엑스포단지는 현재는 청년 창업인들을 위한 사무실로 임대되고 있다는 것을 보면 역시 무엇을 짓든 튼튼하고 세련되게 잘 짓는 것이 중요하다는 것을 새삼 깨닫는다. 리스본 시내 중심에는 100년 전통의 옛 건물이 수두룩하지만, 이곳 동쪽 해안 엑스포 단지에는 최신식 산업단지가 형성되어 있다. 엑스포 단지 대서양관(Pavilhao Atalantico)을 경유하여 바스쿠 다 가마 기념비(C.C. Vasco da Gama), 리스본 국제행사관(Feira Internacional de Lisboa)을 거쳐, 엑스포 단지를 떠난다. 함선 돛 같이 생긴 천장 구조물이 특이한 건물 오리엔테역(Gare de Oriente)으로 향한다. 버스는 이내 서쪽 '스포르팅 리스본(Sporting Lisboa)' 축구팀의 홈구장인 이스타디우 주제 알발라드(Estadio Jose Alvalade) 경기장 인근 마타알발라드 공원(Parque da Mata de Alvalade)을 우회한 후, 캄포그란데(Campo Grande)와 리스본 대학가(Cidade Universitaria) 사이를 관통하여 시내로 들어온다.

시티투어버스를 이용하니 도시 곳곳을 슬쩍슬쩍 둘러보기에 좋았다. 10일간의 여정으로 인한 노독과 참기 힘든 더위 때문에 임시방편으로 선택한 계획이었는데, 좋은 날씨와 한적한 도로가 어우러져 기분 좋은 한나절 관광이 되었다. 나는 카페같이 한 군데 가만히 앉아 지나다니는 사람을 구경하는 취미가 없는데, 이렇게 드라이브하며 처음 보는 도시의 속살을 보는 것은 꽤 재미있었다. 다만 이번에는 리스본에서 꼭 가려고 계획했던 곳이 제로니무스 수도원뿐이라서 남은 시간을 한가하게 투어버스 타고 돌아다닐 수 있었던 것이지, 계획을 빡빡하게 짰다면 굳이 시간 버릴 필요 없이 관광명소에 바로 닿는 지하철과 트램을 이용하는 게 나을 것 같다.

피게이라 광장에 다시 도착했더니 7시경이 되었다. 리스본의 대표 이미지인 대성당(Se de Lisboa) 앞으로 트램이 지나가는 야경사진을 찍기 위해 대성당을 찾았다. 지도상으로는 피게이라 광장에서 대성당이 멀지 않아 씩씩하게 걸어갔는데, 골목골목을 헤매기 시작하더니 결국 상조르주 성(Castelo de S. Jorge)에 당도해 버렸다. 예정에 없던 상조르주 성 앞에서 거금 7유로를 내고 들어갈까 말까 고민을 했다. 어차피 보고 싶었던 도시 전경인데 보고 싶기도 하고, 또 가봐야 덩그러니 벽밖에 남지 않은 성채일텐데 7유로가 가당키나 한 것인가 의구심도 들었다. 매표소에서 "성채 안까지는 안 들어가고 요 입구만 통과해서 잠깐 보고만 와도 안될까요?" 하고 물었더니 "그 입구 통과하는 비용을 내는 겁니다." 하며 친절한 답변이 돌아왔다. 하는 수 없이 입장권을 사고 성에 들어갔다. 역시나 돌로 된 성벽만 남아 있었다. 그나마 다행히 정원에 공작새와 고양이들이 살고 있어 소소한 재미를 주었다.

성벽 위로 올라가자 리스본 시내와 테주강의 너른 전망이 한눈에 들어왔다. 멀리 석양이 은은하게 내뿜는 분홍빛을 한껏 흡수하고, 반딧불이 마냥 작고 초롱초롱한 전등불로 화답하는 아름다운 도시였다. 테주강 위로는 저녁놀과 구름의 그림자가 어른거리고, 도시 곳곳 광장들에는 가로등이 켜져 퇴근길 분주한 사람들을 비추고 있었다. 도시를 휘감아 도는 테주강은 U자 형태의 모양으로 보여, 항공사진을 찍으면 도시가 찍힌 너른 평원과 힘차게 흘러가는 강의 조화가 멋들어지게 예술적인 광경이 나올만한 장관이었다. 산꼭대기라 바람이 심하게 불어 성벽 밑으로 떨어질까봐 무서웠지만

경이로운 아름다움에 감탄이 절로 나오는 풍경이다. 성벽은 4층 높이로 꼭대기까지 계단이 이어져 있는데, 제대로 된 난간 하나 없는 유격훈련장 같다. 예산의 문제인지 위험 인식의 문제인지 의아하다. 해는 금방 떨어져 버리고 순식간에 어둠이 내려앉았다. 아름다움이고 뭐고 이제는 죽느냐 사느냐다, 벌벌 떨며 두손 두발로 기다시피 해서 계단을 내려왔다.

상조르주 성에서 다시 대성당을 찾아 길을 헤매는데 어찌어찌해서 트램철로를 발견했다. 따라 올라가야 하나 내려가야 하나 고민하다가 일단은 내려가기로 했는데, 10분쯤 내려가자 운 좋게도 대성당이 보였다. 성당 정면과 트램철로가 같이 보이는 장소에서 트램이 오기만을 기다렸다. 벌써 밤 10시가 넘어가고 있어 혹시 트램이 끊긴 건 아니겠지, 긴장과 기대가 교차하며 트램을 기다렸다. 이윽고 철컹철컹 뎅뎅뎅 하는 소리와 함께 트램이 내려왔다. 샛노란 트램과 대성당이 함께 있는 장면을 보니 새삼 <걸어서 세계 속으로>가 생각났다.

시내로 내려오니 완전히 어둠이 깔렸고, 가로등과 몇몇 음식점의 전등만 빛을 내고 있다. 삼삼오오 술자리를 갖는 사람들을 뒤로 하고 지하철을 타고 숙소로 돌아왔다. '뮤직홀 호스텔'은 이름처럼 음악을 소재로 한 호스텔이다. 최근 오픈했는지 복도, 방, 침구 할 것 없이 모두 다 깨끗해서 기분이 좋았다. 뮤직홀이라는 이름에 걸맞게 방들은 락방, 재즈방 등 음악 장르를 내걸었고, 여자 화장실은 홍학 모양 스티커와 각종 포스터들로 아기자기 예쁘게 꾸며져 있다. 얼핏 보니 직원들이 모두 남자들인데 이런 감성은 누구에게서 나온 것인지. 샤워를 마치고 혹시 드라이기가 있냐고 물었지만, 드라이기는 없단다. 하는 수 없이 머리를 대충 말리고 잠들었는데, 기침이 계속 나와 다른 투숙객들에게 미안했다. 저녁 때까지 젊은이들은 아직 혈기왕성하게 음악을 틀어놓고 떠들어, 밤까지 시끄러울 줄 알았는데 그런 일은 일어나지 않았다.

DAY 11 리스본

이성은 종교를 대체했을까

7시에 기상했더니 직원이 곧 있다가 조식을 먹으란다. 숙박비도 저렴한데 서비스까지 좋다. 이렇게 장사해서 남는 게 있을지 모르겠다. 아침상도 좋다. 사과, 바나나 등 과일 몇 가지와 빵, 버터, 잼, 시리얼 등 구색도 맛도 좋다. 아침을 먹으면서 체코에서 온 여학생 한 명과 말을 텄다. 25세인데 리스본에서 하는 인턴 프로그램에 참가하러 왔다고 한다. 체코에서 포르투갈로 직업 구하러 오다니. 신기하기도 하고 부럽기도 했다. 유럽국가들은 국경이 없다는 말이 실감 났다. 오후에 포르투로 넘어가야 해서 체크아웃하고 짐을 맡겼다. 제로니무스 수도원에 가야 하는데, 어제 산 옐로우버스

탑승권이 아직 48시간 시한이 안되어 더 이용할 수 있다. 기분이 좋다.

버스를 타고 제로니무스 수도원으로 향했다. 이 위치에는 과거 포르투갈 '항해왕 엔히크 왕자(Infante Dom Henrique)'가 건립한 벨렝의 산타마리아 대성당이 있었다. 그러던 곳에 1497년 바스쿠 다 가마가 인도행 출항 전야 이 성당에서 고사를 지내고 떠난데서, 국왕 마누엘(Manuel) 1세가 기념 삼아 수도원 건립을 지시했다. 항로 개척으로 동양까지 판로가 닿게 되어 세계 최고의 부국이 된 포르투갈이었으나 수도원 건립에는 어마어마한 예산이 투입되었다. 비용은 대부분 동양과 아프리카에서 수입한 물건에 대한 관세로 충당하였으며, 이는 연간 약 70킬로그램에 달하는 황금에 버금가는 가치였다. 1502년 착공하여 장장 100여 년간의 공사 끝에 건립되었다. 고딕, 르네상스를 비롯하여 스페인 플라테레스크(Platesque) 양식 등이 가미되어 '포르투갈 고딕 마누엘 양식'이라는 별칭을 얻었다. 처음에는 활발한 해양 원정으로부터 발달한 화려한 장식 기법들로 석회암 기둥과 벽을 채우다가, 시간이 지나면서 삼면으로 분할된 파사드에 수많은 첨탑을 빼곡히 꽂고

꽃과 기이한 동물들로 장식한 스페인 양식이 더해진 것이다. 수도원은 1755년 리스본 대지진에서 살아남았으나, 1833년 세속화 이후 더이상 관리 없이 방치되면서 건물 상태가 악화되었다. 왕의 안녕과 뱃사람들의 무사귀환을 위해 기도해주던 히에로니무스 수도사들도 세속화 때 해산하였다. 1860년부터 시작한 복구공사는 1900년대까지 이어졌다. 벨렝 탑과 함께 1983년 유네스코 세계문화유산으로 지정되었다. 수도원 옆 산타마리아 성당에는 수도원 건립을 지시한 마누엘 1세를 비롯한 16세기 포르투갈의 왕족 및 수도원 건립의 기원이 된 바스쿠 다 가마의 유해가 안치되어 있다.

1755년 리스본 대지진은 계몽주의 탄생의 시발점이라 불린다. 당시 리스본은 유럽에서도 손에 꼽을 정도로 독실한 가톨릭 신앙을 가진 도시였으며, 대지진이 발생한 날은 11월 1일 만성절 축일이었다. 진도 약 9.0의 역대급 지진은 도시 가운데에 5미터짜리 균열을 내면서 바스쿠 다 가마의 유물과 예술품, 문화재를 포함하여 도시 전체 건물의 85퍼센트를 파괴했으며, 사상자 최소 1만 명 최대 5만 명에 이르는 재난으로 기록되었다. 당시 지식인들에게 깊은 인상을 주었던 사실은 모든 성인을 추모하는 만성절에 지진이 일어나 리스본의 성당이란 성당들은 모조리 파괴된 반면, 유일하게 멀쩡했던 구역은 집창촌이었다는 점이다.

기존의 시대적 가르침은 '현재의 세상이 최고의 세상'(라이프니츠)이라며 현생을 감사하고 신께 충성하라고 가르치고 있었다. 신학자들은 리스본 대지진이 신의 분노이자 천벌이라 했다. 그러나 현실에서는 신을 섬기고 추앙하던 이들이 신께 감사드리고 숭상하던 날, 불에 타고 구덩이에 빠져 고통스럽게 죽었다. 반면 교회가 비난하고 사람들이 손가락질하던 매춘부 등은 재앙을 피할 수 있었다. 명백한 모순이자, 법칙의 오류였다. 칸트는 지진을 종교와 분리하여 과학적으로 접근하면서, 인간의 이성에 대해 깊이 탐구해 나아간다. 장 자크 루소는 인구가 밀집된 도시를 피해 농촌의 자연주의적 삶으로 회귀해야 한다고 주장했다. 볼테르, 괴테도 신에 대한 회의감을 드러냈다. 심지어 리스본 대주교조차 "재난은 신의 섭리와 관계 없다."고 공식 선언할 정도였다. 기독교는 끝났다. 신은 이제 곧 죽을 것이다. 사람들은 이제 전지전능한 신이라는 강박적 관념에서 벗어나 이성, 자유의지, 과학이라는 검증이 필요한 개념으로 나아갈 것이다. 리스본 대지진은 인류사의 대전환점이었다.

그런데 종교를 탈피한 인간이 이성으로 행복해졌는지는 모르겠다. 과학과 공학은 인류에게 유례없던 부와 풍요를 가져다 주었지만, 인간의 욕구는 한계효용 체감의 법칙을 따르는 법이다. 더 많은 음식, 더 많은 돈을 욕망해도 어느 정도, 어느 순간에 이르면 충족으로 인한 희열은 사그라들고 그 자리에는 오히려 허무와 회의가 스며들 뿐이다. 가난하다고 해서 다 불행하지 않은 법이고, 부유하다고 해서 다 행복하지 않다. 풍요 속의 빈곤. 너무 부유한 사람은 허무의 지옥에 빠진다. 어쩌면 행복의 역설은 인간 본성 속에 숨겨진 유전자일 수도 있다.

과연 종교를 밀어내고 우리는 무엇을 얻었는가. 이성이 종교를 대체하였는가. 우리는 종교에 무엇을 위임하고 의탁하였던가. 이성으로부터는 무엇을 부여받았는가. 종교는 사람들을 미혹시키고 우매하게 만들었지만 반대로 사람들에게 단순해지라는 행복론을 가르쳐준 것일 수도 있다. 인생의 행복은 복잡한 산술, 더 많은 부, 더 원하는 욕구에서 오는 것이 아니라, 내려놓는 것, 수용하는 것, 안일해지는 것에서 오는 것일 수도 있다. 인간은 원래 모순과 역설의 동물이다. 자기가 얻은 것은 금방 잊어버리고, 시간이 지나면 얻었다는 사실도 잊는다. 이성과 자유의지가 인간성 본연의 회복, 학문의 발달과 물질적 풍요는 선사해 주었지만, 그에 걸맞는 수준 높은 행복감도 부여해주었는지는 의문이다. 사람들은 끊임없이 행복의 근원이 무엇인지, 왜 사람이 행복해지고 또 불행해지는지 탐구했지만 명확한 결론은 나지 않는다. 최근 일설에 따르면, 대장이 튼튼한 사람에게서 행복을 관장하는 호르몬 도파민과 세로토닌이 많이 형성된다고 한다. 사랑과 지혜가 결국에는 뇌 호르몬이라는 생물학적 실체였듯이, 행복과 불행도 결국 호르몬과 유전자라는 물질의 산물이라는 것이다. 행복은 결국 개개인의 유전자로부터 발현되는 유전적 특성이다. 행복한 사람은 무엇을 얻어도 무엇을 잃어도 행복한 반면, 불행한 사람은 아무리 부유해지고 더 많이 얻어도 좀처럼 행복해지기 어렵다. 아직은 가설이고 더 많은 검증이 필요하긴 하지만, 행복한 사람은 모로 가도 행복한 습관이 배어 있단다. 뇌과학, 심리학으로 끊임없이 연구해 나가고 있지만, 아마 인간의 심리와 마음은 결코 학문으로 완벽하게 설명되지 않을 것 같다. 심해와 우주와 그 밖에 아직도 미스테리로 남아있는 주제들과 마찬가지로 말이다.

철학자들은 배부른 돼지보다 배고픈 소크라테스가 되겠다고 하지만, 그런 목표를 추구하지 않는 일반인들도 굳이 배고픔의 길을 걸어야 하는가. 신께서 사람 사람마다 다르게 만들었고 각자 다른 일을 하도록 해놓은 것이라고 한다면, 굳이 그것을 고민하고 따지기 보다는, 그냥 그 일을 하며 맛있게 먹고 푹 자는 것이 정신건강에 좋을 수 있다. 종교가 말하려고 하는 바는 '너무 힘든 사랑은 사랑이 아니고, 너무 힘든 행복은 행복이 아니라는' 것 아닐까.

성모마리아 성당 입장은 무료이지만 제로니무스 수도원은 12유로이다. 수도원은 외부에서 보면 길고 넓은 2층짜리 도서관이나 미술관 같은 건물의 1층은 회랑처럼 아치가 쭉 늘어져 있고, 붉은 지붕이 얹혀 있다. 언덕이 완만하고 평지가 넓은 땅이라 그런지 고층으로 높이 올리기보다는 넓은 면적을 활용하는 건물이 발달한 것 같다. 우리나라의 현실이 눈물겹다. 우리나라의 웬만한 큰 건물은 천문학적인 규모의 비용을 들여 땅을 평탄화하지 만들지 않는 이상 건물 앞쪽과 뒤쪽의 층수가 다른 웃픈 특징을 갖고 있다. 이베리아반도나 프랑스 같은 대지에서는 일단 깔 수 있는 만큼 최대한 깔아 최대한 넓은 면적을 차지하는 것이 부의 상징이고, 높이 올리는 것은 선택사항인 것 같다.

수도원은 ㅁ자 형태로 중정이 있는 회랑 구조의 2층 건물이다. 가운데 중정에 면한 회랑 면에 각기 다른 문장과 조각들로 장식되어 있다. 큰 아치 안에 작은 아치들이 들어가 있고 각 아치는 이슬람 양식처럼 꽃잎 모양 장식이 되어있다. 2층 회랑에서 내려다보는 1층 정원도 아름답다. 한쪽 복도에서 웬 연극 공연을 한다. 본토어로 하는 공연이라 이해는 못하지만, 천사와 악마 의상을 입은 것으로 보아 기독교 관련된 내용인 듯 하다. 의상은 여러 벌이었지만 소품이 간소하고, 관객들은 원형으로 둘러싸서 관람하면서 깔깔대고 웃기도 하고 야유하기도 했다. 웃기는 내용의 야외 소극이었나 보다. 수도원 1층에는 작은 예배당들이 위치하고, 2층에는 성당 입구 위쪽 발코니로 연결되는 공간이 있다. 이곳에 거대한 십자가상이 세워져 있는데, 원래 있던 것인지 부활절 시기라 세워놓은 것인지는 모르겠다. 발코니에서는 제단을 정면으로 하고 본당이 한눈에 들어오는데, 웅장하고 위엄있는 본당이다. 층고가 높아 어둠이 열어진다.

다시 옐로우버스를 타고 1시경 숙소에 돌아와 짐을 챙겼다. 옐로우버스가 세치히오스 버스터미널에 정차하는 것은 정말 다행이었다. 옐로우버스를 타고 터미널에서 정확히 내린다면 내 정확한 계산에 따라 약 2시경에는 포르투행 버스를 탈 수 있었다. 그러나 내 행운은 거기서 끝났다. 투어버스는 정류장 이름을 정확하게 알려주지 않기 때문에 눈치를 잘 보고 정류장 번호를 잘 살핀 다음에 내려야 했다. 하지만 초행길에 이 정류장이 맞는 것도 같고, 아닌 것도 같고, 다음 정류장이면 더 가까울 것도 같아, 정차 신호도 누르지 못하고 다음 정류장까지 가버렸다. 그리고 내린 정류장은 버스터미널과는 지하철 한 정거장 차이였다. 나는 까짓거 한 정거장 차이를 걷기로 했다. 그리고 모든 비극이 시작되었다.

캐리어를 끌고 백팩을 매고 종이가방을 옆구리에 끼고 지도를 보면서 땡볕에서 10분 걷자 길바닥에 엎어질 것 같다. 지도에 나오지 않은 길과 생각대로 나타나지 않는 골목을 보며 다시 지하철역으로 돌아갈까 수도 없이 생각했다. 하지만 이미 지하철역으로부터도 꽤 많이 멀어진 것 같다. 사실은 이때 돌아갔어야 했다. 에스파냐 정원을 타고 올라가면 터미널 건물이 보여야 하는

데 무엇이 잘못되었는지, 웬 고가도로가 나온다. 고가도로를 타고 올라갔다가 다시 밑으로 내려오고, 이리저리 왔다 갔다 하는 와중에 머릿속에서는 왼쪽, 오른쪽 방향감각마저 상실했다. 펄펄 끓는 도로에 공기도 푹푹 익었다. 도시 전체가 하나의 찜기 같았다. 땀으로 샤워를 하고 옷이 다 젖었지만, 이마를 닦을 의지조차 생기지 않았다. 팔과 다리에 아무 힘도 없었다. 몸은 여기 있고 영혼은 저 위로 날아가 유체이탈이 된 것 같았다.

거리에서 일하고 계시는, 초인적으로 보이는 아저씨들에게 터미널로 가려면 어디로 가야 하나 묻자, 아저씨들은 자기들끼리 한참 이야기하더니 한숨을 쉬고는 대답하신다. "여기서 멀어." 나도 익히 아는 사실이다. 괜찮으니 어느 방향이냐 물으니, 팔을 쭉 뻗으신다. "저쪽으로 쭉 가." "얼마나 쭉?" "나도 모르지. 한 30, 40분 걸리려나. 가다 보면 학교 하나 있고 터미널 뒷문이 나올 거야. 거기로 들어가." 친절하게 가르쳐 주신다. "감사합니다!"하고 패기 있게 다시 길을 나선다. 이 이상 길에서 녹아 죽는 한이 있더라도 지하철은 절대 타지 않겠다. 반드시 걸어가서 나의 의지를 천명하며 승리하겠다. 선택의 여지는 없다. 감사하게도 아저씨께서 맞는 방향을 가르쳐 주셨는지 정말 40분 정도 걷자 터미널 뒷문이 나온다. 아싸, 하고 경비원 아저씨께 여기가 터미널 맞냐고 물어보자 친절하신 경비원 어르신은 터미널이 맞지만, 여기는 차가 들어오는 곳이니 가던 방향으로 더 걸어가서 사람 입구로 들어오란다. 아이고 눼눼, 감사도 합니다. 그리고 5분을 더 걸어갔다.

4시였다. 터미널에 도착해서 가장 빨리 출발하는 헤데 엑스프레소스(Rede Expressos) 버스표를 끊고 벤치에 몸을 던져버렸다. 세상 끝에서 돌아온 느낌이다. 어제 신트라 페냐 성 버스값만 아꼈어도 오늘 지하철 타고 편하게 왔을 텐데. 자원분배의 불균형이 너무 심하다. 그래도 버스를 타고 포르투로 가는 길은 최고의 풍경이다. 목가적인 전원 풍경이 아기자기 아름답다. 너른 평원, 뭉게뭉게 피어나는 구름은 한 폭의 르누아르 작품이다. 버스도 벤츠이고, 시원하게 에어컨도 나오고 천국이 따로 없다. 2시간여 달려 포르투 알레한드라 헤르쿨라노(Alexandra Herculano) 터미널에서 내렸다. 발도 아프고 팔도 아프고 도저히 걸어서 나갈 수가 없었다. 리스본에서의 지하철을 보상이라도 하듯 거침없이 택시를 잡다. 택시를 타고 5분 정도 지나자 금방 내리란다. 숙소에 다 왔단다. 젠장, 필요 없는 데다가 또 돈을 낭비했다. 그나마 기사님이 자상하셔서 좋은 사람 만난 값으로 치기로 했다. 포르투갈 사람들은 기본적으로 사나운 데가 없다. 이유 없이 악에 받친 사람들이 있을까냐 만은, 어떤 사람들처럼 과하게 에너지 넘치게 다가와 부담스럽게 굴거나, 또는 어떤 사람들처럼 겉으로는 생글생글 웃는데 어딘가 거부하고 밀어내는 표리부동한 분위기를 풍기지 않으면서, 잔잔하게 다정한 데가 있다. 사소한 대화 몇 마디에 온화하고 서글서글한 성격이 드러난다. 오래 두고 사귀고 싶은 사람들이다.

포르투 숙소 호스텔도 무진장 깨끗하고 정갈해서 좋다. 2층에 침실, 화장실과 공용주방이 다 있었는데, 시설이 신식이고 잘 관리되고 있다. 여자애 2명이 식탁에서 저녁을 먹고 있는데 잠시 후 남자애 1명이 들어와 말을 튼다. 서로 다녔던 여행지 배틀을 하고 있길래 나도 끼어들고 싶었는데, 마침 모스크바 이야기가 나와서 "거기 사람들은 외국인들에게 그다지 친절하지 않아."하며 끼어들었다. 모스크바 맥도널드에서 빅맥세트 시켰다가 설움 받은 이야기를 해주면서, 이런저런 이야기를 나누다가 여자들은 떠나고 남자애만 남았다. 내가 내일 어디를 둘러볼지 계획이 안 섰다고 하자, 이 친구가 자기 지도를 꺼내 여기여기 가라고 표시를 하더니 자기는 이제 떠나니까 이 지도를 가져가란다. 여유가 넘치는 도시에서는 여행자들도 여유가 넘치나 보다. 그러면서 강변 식당에 가서 프란체시냐(Francecinha)를 꼭 먹어보란다. 고맙다고 하면서 남은 여행 잘하라고 했다.

DAY 12 포르투

잊히지 않을 광경

8시에 기상해서 체크아웃하고 짐을 맡겼다. 볼량(Bolhao) 지하철역에서 일일권을 끊고 트리니다드(Trinidad) 역에서 노란색선으로 갈아타서 '상벤투 역(Estacao de S.Bento)'까지 내려갔다. 트리니다드에서 노란색선으로 갈아탈 때 헷갈렸다. 포르투 시내로 들어오는 지하철 다섯 노선은 마지막 목적지만 다를 뿐, 모두 도시 동서를 가로지르는 똑같은 경로를 거쳐 간다. 왜 이렇게 중복 설정해 놨는지 모르겠지만 아무튼 다섯 노선 방향이 모두 같기 때문에 철로도 한 개의 선로를 사용한다. 한 승차장에서 다른 방향으로 가는 지하철을 잘 보고 타야 한다. 유독 노란색선만 도시를 남북으로 가로지르는 독자 노선을 가기 때문에, 노란색선을 탈 때는 역사에서 상하 이동을 한다. 계단을 내려와 복도를 지나 다시 올라가야 하는 번거로움이 있다.

상벤투 역은 내부를 빼곡히 채운 아줄레주(Azulejo)가 예술이다. 입구에 들어서면서부터 펼쳐지는 푸른 염료의 향연에 넋을 잃는다. 노란색으로 칠해진 회벽에 대비되어 파란 타일이 더 선명하고 곱게 빛난다. 아줄레주로 채워진 사면의 한가운데에 서 있으면 정갈한 밥공기에 담긴 쌀알이 된 느낌도 들고, 하얀 포말이 부서지는 푸른 바다 위에 떠있는 느낌도 든다. 타일이 내구성도 뛰어나고 오래도록 청결함을 유지할 수 있는 것 같다.

원래 이 위치에는 16세기 마누엘 양식으로 건립된 성 베네딕토 수도원이 있었다. 수도회는 19세기 페드루 4세와 미구엘 1세간 왕위계승 내전시 미구엘 1세를 지지한 탓에 전 재산을 페드루 4세에게 몰수당했고, 그때 이 수도원도 몰수되었지만 1783년 화재로 소실되었다. 1900년 카를로스 1세가 폐허가 된 수도원을 기차역으로 개조할 계획을 세우고, 건축가 마르케스 다 실바(Marques da Silba)와 화가 조르주 콜라수(Jorge Colaco)를 기용하였으며, 그로부터 13년 뒤 역사가 완공되었다. 성 베네딕토 수도원로부터 유래하여 상벤투역이라 이름 붙였다. 역사 내부의, 완성하는 데 11년이 소요된 550여 평방미터, 2만여 장의 아줄레주 벽화는 포르투갈의 역사를 묘사하고 있다. 레온왕국 독립전쟁 중 발데베즈(Valdevez)의 전투, 톨레도에서 레온의 알폰소 7세를 접견하는 기사 에가스 모니스(Egas Moniz), 포르투를 방문한 주앙 1세 부처, 무어인들을 퇴치한 항해왕 엔히크 왕자 등이다. 한편에는 포도밭, 추수, 도루 강에서의 와인 선적, 물레방아 등 와인 관련 작업을 묘사한 목가적인 그림과 소떼들과 순례자 그림도 있다.

아랍어로 '윤을 낸 돌(al Zulaycha)'에서 유래한 아줄레주는 이베리아반도가 이슬람 문명 치하에 있을 때 전파되었다. 마누엘 1세는 알함브라 궁전의 타일장식에 매료되었고, 신트라 왕궁에 처음으로 아줄레주 장식을 지시하였다고 한다. 이후 파란 타일 장식은 이슬람보다도 포르투갈에서 더 전성기를 맞이하며 건축과 예술에 활발하게 활용되었다. 고려에 청화백자가 있듯이, 중세시대에는 하얀 바탕에 파란 그림을 그리는 것이 유행이었나 보다. 어쩌면 실크로드를 통해 중동 또는 유럽으로 흘러들어간 동양의 청화백자가 파란 타일로 변형되었을 수도 있다. 아줄레주가 꼭 파란색 염료만 사용한 것은 아니고 주황색, 녹색 등 다양한 원색이 사용되긴 했는데, 그래도 가장 유명하고 아름다운 작품들은 다들 파란색이다. 오늘날도 글씨를 쓰는 색은 검은색 또는 파란색인 것을 보면, 파란색이 가장 안정되면서도 예술적인 입력용 색채인가보다. 예술작품의 우열을 가리는 것은 불필요하고 무의미한 일이지만, 파란 그림이 그려진 타일 작품은 이탈리아의 어마어마한 대리석 조각상에 비하면 다분히 소박하고 원시적인 느낌이다. 실제 제작 방식이나 과정에서 더 복잡하고 고급 기술이 사용되는지 모르겠지만, 최종 산물을 보면 가히 초인적이라거나 그다지 위대한지는 잘 모르겠다. 하지만 수만 장의 타일이 모여 만들어낸 우아하고도 신비로운 그림을 보고 있노라면, 절대 잊지는 못할 광경이라는 생각이 든다. 타일 한 장 한 장이 예술가와 장인의 노고인 것이 느껴지고, 그 시간과 노력과 열정이 고스란히 전달된다. 인간의 수준을 넘어서는 어마어마한 작품을 대할 때 느껴지는 경외감은 없지만, 오히려 마음이 포근해지고 머릿속이 조용해진다. 아줄레주, 나전칠기, 태피스트리. 모든 작품은 누군가의 기억으로 남는 데에 의의가 있다.

상벤투역에서 나와 '클레리구스 성당과 종탑(Igreja e Torre dos Clerigus)'으로 향했다. 클레리구스는 성당을 의뢰한 18세기 형제 성직자의 이름이다. 이탈리아 건축가 니콜라우 나소니(Nicolau Nasoni)가 바로크 양식으로 설계하여, 1732년부터 1749년까지 공사하였으며 탑은 1763년 건립되었다. 클레리구스 종탑은 성당과는 다른 문을 통해 올라가야 한다. 포르투에서 가장 높은 위치에 있는 최고의 전망대이다. 76미터, 약 6층 높이 종탑을 올라가자 도루 강(Rio Doru) 너머까지 이어지는 포르투의 시내가 한눈에 펼쳐지면서 시원한 바람이 분다. 하얀 집들이 햇살을 받아 반짝반짝 빛난다. 종탑 뒤쪽으로 새로 조성된 쇼핑몰이 있었는데 아직 이른 시각이라 사람들이 많지 않다.

종탑에서 내려와 쇼핑몰이 밀집한 카멜리타스(Carmelitas) 도로를 타고 조금 올라가면 <해리포터>를 집필할 때 조앤 롤링이 영감을 받았다는 '렐루서점(Livraria Lello)'이 외관에서부터 독특한 분위기를 자랑한다. 1881년 주제 렐루(Jose Lello)가 개업했다. 내부에는 파리 라파예트 백화점에서 영감을 얻은, 서점의 특징적인 요소가 된 붉은색 곡선의 계단이 중앙에서 휘감아 올라가며

상하층을 연결하고 있다. <해리포터> 상점가의 모델이 되었다시피 영화세트장 같은 인테리어를 뽐낸다. 뱀의 혀 같기도 하고 붉은 버전의 <윙카의 초콜렛공장> 같기도 하다. 사진 촬영은 금지이고, 2층에서는 서점 기념품도 팔고 있다. <해리포터> 이후로 서점보다는 관광지로서의 기능이 더 강화된 것 같다.

카르무 및 카르멜 성당(Igreja do Carmo/dos Carmelitas) 사이에는 세상에서 가장 작은 집이 있다. 카르무 성당 측면 외벽에는 등산로를 오르는 수도사들을 묘사한 대규모 아줄레주 장식이 있다. 12세기의 비밀스러운 수도회 카르멜 수도회를 묘사한다. 카르무 성당은 남자 수도사, 카르멜 성당은 수녀들이 각각 분리 거주했던 성당이고, 가운데 가장 작은 집은 두 곳의 성직자들을 감시하는 역할을 했다. 성별의 영향을 받았는지 카르무 성당은 웅장하고 화려한 반면, 카르멜 성당은 아기자기하고 소박하다.

강가로 걸어 내려왔다. 도착하니 식당들이 줄줄이 늘어서서 손님들을 기다린다. 식당마다 호객행위를 하는 직원들이 많다. 메뉴는 거의 다 비슷비슷하게 문어 등 해산물과 어제 들어본 프란체시냐 등이다. 을왕리 가면 다들 이름은 다르지만, 조개구이를 파는 것과 비슷하다. 한 가지 다른 점은 을왕리 조개구이집들에는 강릉이라느니 속초라느니 지역명이 붙는데, 이곳 포르투의 강변은 누구누구 셰프, 이렇게 주방장의 이름이 붙는다는 것이다. 아직 점심 때가 아니라 식당에는 사람들이 별로 없었지만, 광합성을 겸해 강변에 산책을 나온 휴양객들은 많았다. 나도 같이 한가롭게 강변을 노닐었다. 강가에 펜실다리 첨탑(Pilares da Ponte Pensil)과 루이스 1세 다리(Ponte Luis I)가 보인다. 식당가를 보니 프란체시냐를 먹어볼까 했는데, 딱히 고기가 끌리지 않은 데다가 마침 인터넷에서 후기를 읽었던 셰즈 라핀(Chez Lapin) 식당이 있어 문어빠에야와 오렌지주스를 주문했다. 문어가 좀 짰지만, 다행히 밥이 있어 중화시켜 주었다. 양이 꽤 푸짐해서 배가 많이 불렀다. 가족이나 연인 단위로 온 사람들은 각자 다른 요리를 시켜서 나눠먹고, 빵과 와인 등을 추가로 먹는 것 같다.

밥을 먹고 배를 두드리며 루이스 1세 다리에 갔다. 구스타브 에펠의 제자 테오필 세이리히(Theophile Seyrig)가 스승의 양식을 이어받아 유려한 곡선으로 이루어진 철교를 설계했다. 높이 85미터, 너비 8미터의 두 층으로 구성된 다리인데, 상층에는 전철, 하층에는 자동차가 다니고 보행자 도로도 있다. 걸어서 다리를 건너는 사람들이 꽤 있었다. 철제 빔으로 다루어진 다리라 막상 올라가면 어떨지 모르나 저 정도면 거의 극기체험 아닌가 싶을 정도로 무서워 보였다.

다리 뒤쪽 언덕을 넘어가는 푸니쿨라를 타볼까 했는데, 교통 일일권으로는 탈 수 없단다. 다리 앞에서 버스를 타고 엔히크 왕자 공원(Parque do Infante Dom Henrique) 앞에서 내렸다. 포르투 대성당을 가려고 했는데, 가는 길이 골목과 계단을 합쳐 놓은 신개념 언덕이라 완전 등산이다. 올라가는 길에 '산로렌초 성당(Igreja de Santo Lourenco)'에 들렀다. 이베리아반도 성당들의 제단과 조각상은 기본적으로 황금나무이다. 나무십자가상을 황금물에 빠트렸다 건져낸 것 같고, 제단 뒷벽 빼곡한 부조에는 황금옷을 입혀 놓았다. 남미에서 공수했는지 모르겠지만 황금색 십자고상이라니 조금 생소했다. 거부감이 드는 것일까. 빈곤과 고난과 희생의 상징인 그리스도, 십자가형을 받는 그리스도에다가 부와 과시의 상징인 황금이라니. 이것이 주께서 바라던 모습인 게냐, 하고 호통이라도 칠까 싶다. 이탈리아의 대리석과 돌 성당에 익숙해져 황금성당이 과하게 느껴지는 것일까. 값어치로 따지면 대리석과 황금이 큰 차이는 나지 않을 것 같은데 말이다. 지역별로 잘 활용할 수 있는 재료를 사용한 것일 뿐인데 이렇게 다른 느낌을 주는 것도 신기하다. 하지만 기본적으로 이탈리아의 조각상들이 더 섬세하고 정밀하고 감성적이라는 것은 인정해야 할 것이다. 이베리아반도의 조각상들은 한 수 아래다.

'포르투 대성당(Catedral do Porto)'은 벼랑에 위치한지라 도루강이 내려다보이는 풍경이 장관이다. 상벤투역에서 고이 올라왔다면 완만한 고갯길을 천천히 올라왔을 텐데, 강변에서 올라온답시고 가파른 계단 언덕길을 올라와 사서 고생했다. 측면에는 아줄레주를 채워 넣은 회랑이 우아한 아름다움을 뽐내는 반면, 정면에는 눈에 띄는 창문이나 장식도 없고, 벽돌을 차곡차곡 쌓아 올려 메스키타처럼 단단하고 옹골진 성채이다. 이슬람 양식을 차용한 듯 사각기둥 위에 모스크 같은 뾰족한 돔이 귀여운 모자처럼 얹어져 있다. 내부 제단 뒷벽은 역시나 황금을 쏟아부어 부조를 새겨넣었다. 밖에서는 작고 볼품없어 보이던 가늘고 긴 창문이 안에서 보니 꽤 또렷한 스테인드글라스로 영롱한 빛을 뿜어낸다.

성당 앞에는 깃발을 뻗어 진격을 명하는 듯한 엔히크 왕자의 기마상이 있고 더 올라오니 오벨리스크 같은 나선형 탑이 우뚝 서있다. '페로우리뇨(Pelourinho)' 탑이라고, 무언가를 기리는 것이 아니라, 죄인과 노예 등을 묶어놓고 매질하는 상당히 실용적이고도 잔인한 용도로 사용되었다고 한다. 성당 뒤쪽으로 포르투 시내 전경이 넓게 펼쳐지는데 잔잔한 붉은 지붕의 바다 한가운데 클레리구스 종탑이 돌섬처럼 우뚝 솟아있다. 언제고 풍덩 빠져들고 싶게 하는 바다이다.

귀국 시간이 다가왔다. 상벤투역에서 지하철을 타고 볼량역까지 와서 역 주변의 시장 상점들을 구경하며 숙소에 도착했다. 공항까지 가는 지하철도 볼량역에서 보라색선 한 번만 타면 되어 매우 편리하다. 편안하고 다정한 도시 분위기로 심신을 안정시켜 주었던 포르투, 포르투갈도 이제 안녕이다.

에필로그

나름대로 스페인의 웬만한 도시를 경로에 넣었다고 생각했는데, 돌아보니 아쉬움이 한가득 남는 일정이다. 감기로 제대로 못 본 바르셀로나는 물론이고, 서부의 레온, 비고, 중부의 바야돌리드, 살라망카, 남부의 발렌시아, 론다, 말라가를 한 번쯤 가보고 싶다. 스페인에 있지만, 영국이 지배하는 지브롤터 해협. 알함브라 궁전의 도시 그라나다. 산티아고 순례길 자체에는 별로 흥미 없지만, 경로상에 있는 작은 성당들, 도시들을 한 번 방문해보는 것도 나쁘지 않을 것 같다. 이미 말했던 파라도르 일주는 꼭 해봐야 된다.

포르투갈은 나중에 나이 들고 천천히 걷게 될 때 일주일이나 한 달 정도 여유롭게 지내고 싶다. 테주 강이나 도루 강변을 천천히 걸으면서 맛난 음식들을 탐미하고 높이 쌓인 구름과 뜨거운 햇살을 만끽하고 싶다.

해마다 귤을 먹을 때 생각나고 그리워할 나라들. 상큼한 오렌지향을 풍기는 뜨거운 남국의 햇살 같은 나라들이다.

지은이 윤대협

www.brunch.co.kr/@asdfzxcv

전쟁과 파벌을 싫어하고, 사색과 해학을 좋아합니다. 애정하는 캐릭터는 <슬램덩크>의 윤대협, 좋아하는 방송인은 코난 오브라이언(Conan O'Brien), 존경하는 학자는 김영민(<추석이란 무엇인가>), 장래희망은 빌 브라이슨(Bill Bryson)입니다. 올해의 목표는 살 빼기, 이달의 목표는 일찍 자고 일찍 일어나기, 오늘의 목표는 웃으며 잠들기입니다. <소곤소곤 윤슬이 아른아른 별뉘에 : 로마에서 리옹까지>를 썼습니다.